Gulliver Taschenbuch 224

Christine Nöstlinger

Maikäfer, flieg!

Mein Vater, das Kriegsende,
Cohn und ich

Roman

BELTZ
& Gelberg

Maikäfer, flieg! erhielt folgende Auszeichnungen:
Auswahlliste zum Deutschen Jugendbuchpreis
»Buxtehuder Bulle«
Holländischer Jugendbuchpreis »Der silberne Griffel«

Gulliver Taschenbuch 224
© 1973, 1996 Beltz Verlag, Weinheim und Basel
Programm Beltz & Gelberg, Weinheim
Alle Rechte vorbehalten
Reihenlayout und Einband von Wolfgang Rudelius
Gesamtherstellung Druckhaus Beltz, 69494 Hemsbach
Printed in Germany
ISBN 3 407 78224 1
2 3 4 5   00 99 98 97

Vorbemerkung

*Die Geschichte, die ich erzähle, ist mehr als fünfundzwanzig
Jahre* alt. Vor fünfundzwanzig Jahren waren die Kleider
anders und die Autos auch. Die Straßen waren anders und das
Essen auch. Wir waren anders. Sicher, vor fünfundzwanzig
Jahren sangen die kleinen Kinder auch in Wien:*

Maikäfer, flieg!

der Vater ist im Krieg...

Heute singen die kleinen Kinder immer noch:

Maikäfer, flieg!

der Vater ist im Krieg

*Nur – die kleinen Kinder damals wußten genau, was sie da
sangen. Der Vater* war *im Krieg.*

die Mutter ist im Pulverland

Die Mutter war wirklich im Pulverland. Und wir mit ihr.

Pulverland ist abgebrannt

*Doch die Maikäfer waren nie schuld, wenn Pulverland ab-
brannte; auch vor fünfundzwanzig Jahren nicht.*

*Die Geschichte, die ich hier erzähle, ist eine Pulverlandge-
schichte.*

---

* *Dieses Buch wurde 1973 erstmals veröffentlicht!*

1.

Das Haus • Die Großmutter
Der Radiokuckuck • Die Hannitante
Silberne Perlenketten vom Himmel

Ich war acht Jahre alt. Ich wohnte in Hernals. Hernals ist ein Bezirk von Wien. Ich wohnte in einem grauen, zweistöckigen Haus. Im Parterre, die letzte Tür. Hinter dem Haus war ein Hof. Mit Abfallkübeln, mit einer Klopfstange und einem Hackstock*. Und hinten im Hof, an der Klofenstermauer, stand ein Zwetschkenbaum. Aber Zwetschken waren nie auf ihm.

Unter unserem Haus war ein Keller. Der größte und beste Keller im ganzen Häuserblock. Gute Keller waren wichtig. Gute Keller waren wichtiger als schöne Wohnzimmer und vornehme Schlafzimmer. Wegen der Bomben. Es war Krieg. Es war schon lange Krieg. Ich konnte mich überhaupt nicht daran erinnern, daß einmal kein Krieg gewesen war. Ich war den Krieg gewohnt und die Bomben auch. Die Bomben kamen oft. Einmal habe ich die Bomben gesehen. Ich war bei meiner Großmutter. Die wohnte auch in unserem Haus. Im Parterre, die erste Tür. Die Großmutter war schwerhörig. Ich saß mit der Großmutter in der Küche. Die Großmutter schälte Erdäpfel und schimpfte auf die Erdäpfel und auf den Krieg. Sie sagte, vor dem Krieg hätte sie der Gemüsefrau solche drecki-

---

* Diese Geschichte spielt in Wien. Notwendige Dialektformen, vor allem in der wörtlichen Rede, dürften dem Leser verständlich genug sein, so daß Worterklärungen nicht notwendig sind. Namen oder Begriffe aus der Zeit vor und nach 1945, die jungen Lesern nicht immer geläufig sein können, erklärt jedes Lexikon.

7

gen, fleckigen Erdäpfel an den Kopf geschmissen. Die Großmutter zitterte vor Wut über die schwarzfleckigen Erdäpfel. Die Großmutter zitterte oft vor Wut. Sie war eine wilde Frau.

Neben der Großmutter, auf der Küchenkredenz, stand das Radio. Das Radio war ein Volksempfänger, ein kleiner schwarzer Kasten mit einem einzigen, roten Knopf. Der war zum Anstellen, Abstellen, zum Leiserdrehen und zum Lauterdrehen. Der Volksempfänger spielte Marschmusik, dann hörte die Marschmusik auf, eine Stimme sagte: »Achtung, Achtung! Feindliche Kampfverbände im Anflug auf Stein am Anger!«

Nachher war keine Marschmusik mehr. Die Großmutter schimpfte weiter auf die Erdäpfel und den Krieg; jetzt auch auf den Blockwart. Sie war ja schwerhörig. Sie hatte die Durchsage im Radio nicht verstanden. Ich sagte: »Großmutter, die Flieger kommen.« Ich sagte es nicht sehr laut. Ich sagte es so, daß es die Großmutter nicht hörte. Wenn die Flieger erst in Stein am Anger waren, war es nämlich noch gar nicht sicher, ob sie nach Wien flogen. Sie konnten noch woandershin abbiegen. Ich wollte nicht umsonst in den Keller laufen. Die Großmutter rannte immer schon in den Keller, wenn die Flugzeuge in Stein am Anger waren. Sonst, wenn meine Mutter oder meine Schwester oder mein Großvater zu Hause waren und ihr sagten, daß die Flieger kommen.

Die Flieger bogen nicht ab. Kreischend kam es jetzt aus dem Volksempfänger: »Kuk kuk kuk kuk kuk kuk ...«

Das war das Zeichen, daß die Bombenflugzeuge auf Wien zuflogen. Ich ging zum Fenster. Auf der Gasse lief die Hannitante. Die Hannitante war eine alte Frau. Sie wohnte drei Häuser weiter, und der Krieg und die Bomben hatten sie verrückt gemacht. Unter dem einen Arm trug die Hannitante ein hölzernes Klappstockerl, unter dem anderen Arm trug sie eine zusammengerollte karierte Decke. Die Hannitante lief und rief dabei: »Der Kuckuck schreit! Leut, der Kuckuck schreit!«

So rannte sie bei jedem Bombenangriff um den Häuserblock, immer wieder rund um den Häuserblock. Sie wollte einen sicheren Keller finden. Aber kein Keller war ihr sicher genug. Sie rannte keuchend, zitternd, kuckuck schreiend, bis der Bombenangriff vorüber war. Dann ging sie nach Hause, klappte gleich hinter der Wohnungstür das Klappstockerl auf, setzte sich, legte die karierte Decke auf die Knie und wartete, bis der Radiokuckuck wieder zu schreien anfing. Die Hannitante lief also am Küchenfenster der Großmutter vorbei, und gleich darauf begannen die Sirenen zu heulen. Die Sirenen waren auf den Häuserdächern und heulten scheußlich. Das Sirenengeheul hieß: Die Flieger sind da!

Meine Großmutter war gerade dabei, die wenigen guten Erdäpfel mit dem Riesenhaufen aus Schalen, verfaulten Stücken und schwarzen Brocken zu vergleichen. Nun verfluchte sie nicht mehr die Gemüsefrau und den Blockwart, sondern den Gauleiter, das Schwein, und den Hitler, den Wahnsinnigen, der uns das alles eingebrockt hatte.

»Einbrocken tun's einem die sauberen großkopferten Leut, und auslöffeln können's wir, die armen Hund! Mit uns kann ja jeder machen, was er will!« schimpfte die Großmutter. Als die Sirenen zu heulen begannen, hielt die Großmutter an und fragte: »Heulen net die Sirenen?«

Ich sagte: »Nein, nein!«

Ich *mußte* »nein« sagen. Ich konnte mit der Großmutter

nicht in den Keller gehen. Sie war zu wütend, zu zornig. Die Großmutter hätte im Keller weitergeflucht. Auf den Herrn Blockwart, den Hitler, den Goebbels, den Gauleiter und die Gemüsefrau, und das durfte die Großmutter nicht. Die Großmutter hatte schon viel zu oft geschimpft. Und viel zu laut. Das kam davon, weil sie schwerhörig war. Schwerhörige Leute reden oft zu laut. Und die Großmutter grüßte auch nie mit »Heil Hitler«. Unten im Keller aber saß jetzt die Frau Brenner aus dem ersten Stock. Sie grüßte immer mit »Heil Hitler«. Die Frau Brenner hatte schon ein paarmal gesagt, daß solche Frauen wie meine Großmutter bei der Gestapo angezeigt gehören. Weil sie nicht an den Sieg des deutschen Volkes glauben und weil sie den Krieg nicht gewinnen helfen und weil sie gegen den Führer sind.

Ich hatte Angst vor der Frau Brenner. Darum sagte ich nichts von den Sirenen. Die Großmutter stellte die Erdäpfel auf den Gasherd. Sie wurde freundlicher, weil die Gasflamme schön groß und hellblau brannte. Das war seltsam. Das kam davon, weil niemand im ganzen Bezirk kochte. Alle saßen in den Kellern.

Auf der Straße war kein Mensch zu sehen. Nur weit oben, bei der Kalvarienberggasse, lief die Hannitante. Ganz leise hörte ich ihr »Der Kuckuck schreit! Der Kuckuck schreit!«

Ich schaute zum Himmel. Der Himmel war vergißmeinnichtblau. Und dann sah ich die Flieger. Es waren sehr viele. Ein Flugzeug flog an der Spitze. Dann kamen zwei und dahinter drei und dahinter noch viele. Die Flugzeuge waren schön. Sie glitzerten in der Sonne. Dann ließen die Flugzeuge die Bomben fallen. Das hatte ich noch nie gesehen. Sonst war ich ja immer im Keller unten. Im Keller ist das anders. Man sitzt und wartet. Und dann saust es in der Luft, und die Leute ziehen die Köpfe ein, und dann kracht es, und dann ist es wieder still. Und dann sagt einer: »Das war aber nah!«, und die Leute heben die Köpfe wieder und freuen sich, daß die Bombe woanders eingeschlagen hat und daß ihr Haus noch steht, und daß sie am Leben geblieben sind.

Aber jetzt sah ich die Bomben. Die Flugzeuge ließen so viele Bomben so schnell hintereinander aus ihren Bäuchen, daß es aussah, als hinge aus jedem Flugzeug eine dunkelgraue, glänzende Perlenkette. Und dann zerrissen die Perlenketten, die Bomben zischten herunter. Sie waren sehr laut. Sie waren lauter als alles, was ich bisher gehört hatte. Sie waren auch für die Großmutter laut genug. Die Großmutter packte mich und wollte mich vom Fenster wegziehen. Sie schrie: »G'schwind, renn! In den Keller! G'schwind!«

Ich konnte nicht laufen. Ich konnte mich nicht bewegen. Ich hielt mich ans Fensterbrett geklammert. Die Großmutter zerrte mich vom Fensterbrett weg. Sie schleppte mich durch die Küche, über den Gang, zur Kellertür. Die Bomben fielen noch immer. Der Lärm wurde noch größer. Der Lärm drückte gegen den Kopf. Er sauste in den Ohren. Er brannte in der Nase. Er machte den Hals ganz eng. Die Großmutter stieß mich die Kellerstiege hinunter. Sie stolperte hinter mir her, sie fiel auf mich. Wir rutschten zusammen über die ausgetretenen Kellerstufen. Hinter uns krachte die Kellertür ins Schloß.

Wir saßen auf der untersten Kellerstufe. Das Kellerlicht war ausgegangen. Es war finster. Ich lehnte an der Großmutter. Die Großmutter zitterte. Die Großmutter schluchzte. Über uns sauste und krachte es. Die Kellertür schwang auf und fiel wieder zu und ging wieder auf und krachte wieder ins Schloß.

11

Plötzlich war es still. Die Großmutter hört zu schluchzen und zu zittern auf. Mein Kopf lag auf ihrer dicken, weichen Brust. Die Großmutter streichelte mich. Sie murmelte: »Aber sie fliegen doch schon fort! Sie fliegen doch schon fort!«

Dann heulte die Entwarnungssirene. Die Entwarnungssirene hatte einen angenehmen, sanften, langgezogenen Klang. Hinten, am Ende vom Kellergang, wurde es hell. Das war die große Taschenlampe vom Hausvertrauensmann. Ich hörte seine Stimme: »Leut! Bewahrt s' Ruhe! Ich geh nachschauen! Nur keine Panik nicht, bitt' schön!«

Die Großmutter und ich stiegen mit dem Hausvertrauensmann die Kellerstiege hinauf. Unser Haus war ganz geblieben. Nur ein paar Fensterscheiben waren zerbrochen. Vom großen Luftdruck, den die Bomben erzeugten, wenn sie herunterfallen. Wir gingen auf die Straße. Aus anderen Haustoren kamen auch Leute.

Oben, bei der Kalvarienberggasse, war eine große Staubwolke. Und unten, beim Gürtel, fehlte das große Haus und das kleine Haus daneben.

Der Mann von der Hannitante kam zu uns. »Habt s' die Hanni gesehen?« fragte er. Er war sehr grau und sehr müde im Gesicht. Er sagte: »Ich such die Hanni schon die ganze Zeit!«

Wir hatten die Hannitante nicht gesehen. Und wir sahen sie auch nie mehr. Sie lag oben, bei der Kalvarienberggasse, unter einem Schutthaufen. Ihr Mann grub sie aus. Hätte sie nicht das Klappstockerl unter dem einen Arm und die karierte Decke unter dem anderen Arm gehabt, hätte ihr Mann sie gar nicht erkannt, weil ihr Kopf fehlte.

Doch das wußten wir jetzt ja noch nicht.

Der Hausvertrauensmann riet dem Mann von der Hannitante: »Gehn S' runter zum Pezzlpark-Bunker! Schaun S' dort nach. Vielleicht ist sie im Bunker drin!«

Der Mann von der Hannitante schüttelte den Kopf. »Die ist nicht im Bunker drin! Die war noch nie nicht im Bunker drin! Die geht in keinen Bunker hinein!«

Dann ging der Mann von der Hannitante weg. Meine Großmutter schaute ihm nach. Ich merkte, wie sie wieder zu zittern anfing. Und plötzlich brüllte sie: »Scheißhitler! Heil Hitler! Scheißhitler!«

»Ich bitt' Sie, ich bitt' Sie«, sagte der Hausvertrauensmann, »seien Sie doch um Himmels willen still, Sie reden sich ja noch um Ihr Leben!«

Doch die Großmutter war nicht still. Sie brüllte weiter. In einem fort. Wie eine Schallplatte, wo die Nadel in einer Rille steckenbleibt: »Scheißhitler, Heil Hitler, Scheißhitler, Heil Hitler, Scheißhitler!«

Der Hausvertrauensmann zog die Großmutter ins Haus hinein. Ich half ihm dabei, schob die Großmutter hinten an, boxte sie verzweifelt ins Hinterteil.

Langsam beruhigte sich die Großmutter. Sie lehnte jetzt an der Wand im Gang. Sie murmelte: »Die Erdäpfel! Meine Erdäpfel stehen ja noch immer auf dem Herd! Die Erdäpfel werden mir angebrannt sein!«

Die Großmutter lief in ihre Küche. Ich lief hinter ihr her. Die Erdäpfel waren nicht angebrannt. Das Gas war ausgegangen. Eine Bombe hatte irgendwo die Gasleitung zerschlagen.

2.

In der Wohnung der Großmutter wohnte auch der Großvater. Den Großvater mochte ich sehr. Er war lang und dünn. Er hatte einen weißen Schnurrbart, veilchenblaue Augen, einen Mittelscheitel und Haare in den Ohren. Er konnte sehr lustig sein und Geschichten erzählen, wenn die Großmutter nicht dabei war. Vor der Großmutter hatte der Großvater Angst. Der Großvater hatte überhaupt oft Angst. Er hatte Angst, wenn er zum Finanzamt gehen mußte, er hatte Angst, wenn ihn ein Polizist anschaute, und er hatte Angst, wenn er im Radio den englischen Sender suchte – den er übrigens nie fand. Vor der Großmutter hatte der Großvater aber die größte Angst. Ich dachte immer, der Großvater hat die Großmutter nur geheiratet, weil er sich vor ihr gefürchtet hat. Sie hat ihn sicher wild angeschaut und gesagt: »Lepold! Du heiratest mich!« Und der Großvater hat dann wahrscheinlich aus lauter Angst »ja, Juli, ja, ja, Juli!« gesagt.

Vielleicht war es auch ganz anders, und der Großvater hat die Großmutter einmal sehr geliebt. Und sie ihn auch. Als ich ein Kind war, war davon aber nichts zu bemerken. Nie sagte die Großmutter etwas Freundliches zum Großvater. Dauernd hieß es: »Lepold, du mußt gehen! Lepold, du mußt die Kohlen aus dem Keller holen! Lepold, mach das Fenster zu! Lepold, dreh das Licht ab! Lepold, gib mir die Zeitung! Lepold, hör zu! Lepold, gib mir Geld!«

Der Großvater sagte auf alles: »Ja, ja, Juli! Ja, ja, Juli!«

Der Großvater hieß eigentlich Leopold, und die Großmutter hieß Julia.

Der Großvater hatte einen sonderbaren Beruf.

Er war Uhrenfurniturenhändler. Uhrenfurnituren sind die kleinen Räder und Schrauben und Federn, die in den Uhren drinnen sind. Der Großvater hatte aber kein Geschäft mit einer Ladentür und einem Schild darüber. Er hatte alle seine Uhrenfurnituren in zwei Kästen im Kabinett, hinter der Küche der Großmutter. Manchmal kam ein Uhrmacher zu ihm in die Wohnung und kaufte eine Feder oder ein Rad oder ein Sackerl Schrauben.

Doch meistens ging der Großvater mit seinen Uhrenfurnituren in die Uhrmachergeschäfte. Die Großmutter nannte das: »Er geht mit der Taschen!«

Jeden Wochentag, nach dem Frühstück, packte sich der Großvater die dicke, schwarze Tasche voll und machte sich auf den Weg. Am Abend, wenn er wiederkam, zog er sich die schwarzen Schnürschuhe und die schwarzen Socken aus, rieb seine langen, dünnen Zehen und murmelte: »Verdammt, verdammt noch einmal, heut' bin ich aber wieder was zusammen gerennt! Und verkauft hab ich einen Schmarrn! Sind ja nur mehr die alten, zittrigen, kurzsichtigen Uhrmacher da! Alle anderen sind beim Militär!«

Dann holte der Großvater die weiße Blechschüssel aus der Küche, füllte sie mit Wasser, schob sie unter den Zimmertisch, krempelte die gestreiften Hosenbeine hoch, setzte sich zum Tisch und stellte die Füße ins Wasser und zitterte, weil das Wasser kalt war. Die Großmutter erlaubte ihm kein warmes Wasser für sein Fußbad. Sie hielt nichts von Fußbädern.

Dann brachte die Großmutter das Nachtmahl. Dill-Erdäpfel am Montag, eingebrannte Erdäpfel am Dienstag, Erdäpfel-schmarrn mit Rüben am Mittwoch, am Donnerstag Erdäpfel-püree, am Freitag Erdäpfelgulasch und am Samstag Erdäpfel-puffer. Den Erdäpfel-Speiseplan hielt die Großmutter streng ein. Nur einmal hat sie sich geirrt. Da hat sie am Dienstag Erdäpfelpuffer gemacht. Da war sie so aufgeregt, weil sie in der Lotterie dreißig Mark gewonnen hat, und gleich darauf ist sie ganz wütend geworden, weil sie gemerkt hat, daß sie sich für die dreißig Mark nichts kaufen hat können. Die Großmut-ter ist zur Lottoannahmestelle zurückgerannt und hat der Lottofrau die dreißig Mark auf den Tisch geschmissen und hat geschrien: »Da haben S'! Stecken S' Ihnen die Papierl da auf den Hut! Man kriegt ja einen Dreck drum! Ich pfeif auf ihr blödes Geld! Spieln S' lieber Fleischmarken aus, damit man was hat.«

Ich stand an der Tür von der Lottoannahmestelle und hab mich furchtbar für die Großmutter geniert.

Der Großvater jammerte viel über seine armen Füße und die nutzlose Herumrennerei mit der Tasche. Der Großmutter tat er nicht leid – der Großmutter tat niemand leid –, aber sie glaubte ihm. Dabei war der Großvater ein Schwindler. Er lief gar nicht soviel herum. Ich wußte das ganz genau, denn manch-mal, wenn die Schule ausfiel, nahm mich der Großvater mit.

Mit dem Großvater und der Taschen gehen, war schön. Zu-erst gingen wir ins Kaffeehaus. Der Großvater kannte eine Kaffeehausbesitzerin, die hatte ein winziges, rotplüschenes Kaffeehaus, und sie liebte den Großvater. Sie servierte echten Bohnenkaffee und oft auch Nußstrudel mit Rosinen. Im Kaffeehaus war ein alter, dicker Hund. Er hatte keine Zähne mehr, und auf einem Bein war er gelähmt.

Die Kaffeehausbesitzerin hatte einen Mann, der war anscheinend genauso wild wie meine Großmutter. Die Kaffeehausbesitzerin erzählte uns oft von ihrem Mann. Hinterher sagte sie immer: »Es ist ja eine Sünde, wenn man es ausspricht, aber von mir aus könnte der Krieg ewig dauern! So habe ich wenigstens meine Ruhe vor dem Kerl!« Der Kaffeehausbesitzer war nämlich in Rußland als Soldat.

Nach dem Kaffeehausbesuch gingen der Großvater und ich einen Uhrmacher besuchen. Ich durfte mir aussuchen, wohin wir gingen. Am liebsten war mir der kleine Herr Mauritz. Der war nur knapp einen Meter groß. Er lief hinter dem Ladentisch auf einer hölzernen Treppe herum. So konnte er über das Pult sehen.

Zu dem Mann, der die uralten Uhren reparierte, ging ich auch gern. Sein Laden, über dem »Uhren-Atelier« stand, war voll mit Spieluhren, Standuhren und Pendeluhren. Immer spielte irgendwo eine Klimpermelodie oder schlug eine Pendeluhr die falsche Stunde. Der Mann, der die uralten Uhren reparierte, brauchte vom Großvater keine Uhrenfurnituren. Er reparierte nämlich schon lange keine Uhren mehr. Er war Schleichhändler geworden. Schleichhändler war ein gefährlicher Beruf. Man wurde eingesperrt und kam ins Konzentrationslager, wenn die Polizei dahinterkam. Der Mann mit den uralten Uhren war immer sehr freundlich zu mir. Betrat ich mit dem Großvater den Laden, sagte er zuerst: »Habe die ganz spezielle Ehre, Herr Göth!« (Mein Großvater hieß außer Leopold auch noch Göth.) Dann sagte er: »Aha, aha, heute ist unsere liebe Zuckerpuppe auch wieder einmal da!«

17

Die Zuckerpuppe war ich. Der Mann mit den uralten Uhren führte mich in sein finsteres Hinterzimmer. Er öffnete einen Schrank und holte eine Schachtel heraus. In der Schachtel war ein riesiger Brocken aus weichen, verklebten Zitronenzukkerln. Ich kletzelte mühselig ein Stück von dem Zitronengatsch und bemühte mich, nicht zu gierig zu sein. Manchmal erwischte ich einen ordentlichen Klumpen, einen so großen, daß ich kaum daran lutschen konnte, weil mein Mund so voll davon war.

Jedesmal, wenn ich mit dem Großvater den Laden verließ, nahm ich mir fest vor: »Heute lutsche ich nicht alles auf! Heute lasse ich ein Stück Zitronengatsch für den Berger Schurli über!«

Der Berger Schurli wohnte in unserem Haus, im zweiten Stock, und war mein bester Freund. Trotzdem habe ich ihm nie ein Stück vom Zitronengatsch gebracht.

Meine Mutter konnte den Mann mit dem »Uhren-Atelier« nicht leiden. Denn einmal, da hatte meine Mutter eine Menge Geld bekommen. Von einer alten Tante, die gestorben war. Da ist meine Mutter am Abend, nach Geschäftsschluß, zu dem Mann mit den uralten Uhren gegangen. Dem hat sie das viele Geld gegeben, und er hat ihr dafür drei Kilo Bauchspeck und vier Kilo Zucker besorgt. Meine Mutter hatte gedacht, daß sie mindestens ein halbes Schwein für das viele Geld bekommen würde. Aber der Mann mit den uralten Uhren hat sie ausgelacht und gesagt, daß in solchen Zeiten wie der unseren Geld überhaupt nichts wert ist. Wenn man ein halbes Schwein will, hat er erklärt, dann muß man dafür ein Klavier oder fünf Wintermäntel hergeben. Fünf Wintermäntel hatten wir nicht, aber wir hatten ein Klavier. Meine Schwester und ich mußten jeden

Tag darauf üben, und einmal in der Woche mußten wir zu einer Frau Kriegelstein gehen und ihr vorspielen, was wir geübt hatten. Die Frau Kriegelstein saß neben uns auf einem Stuhl und zählte: »Eins, zwei, drei, eins, zwei, drei, eins, zwei, drei!« Und dann seufzte sie tief. Ich glaube, sie hielt uns für sehr unbegabt.

Meine Schwester und ich hätten das Klavier gern gegen ein halbes Schwein umgetauscht. Sogar gegen drei Eier. Doch meine Mutter wollte davon nichts wissen. Sie wurde wütend, wenn wir davon sprachen. So wütend, wie sonst nur die Großmutter wurde. Meine Mutter hatte nämlich vier Jahre lang für das Klavier gespart, und es machte sie so wütend, daß sie vier Jahre lang für drei Eier oder ein halbes Schwein gespart haben sollte. Das konnte sie nicht begreifen.

3.
Der zerschossene Vater
Der Brenner-Hund · Das Puppenhaus
Der Mauerstaub · Der Riß in der Decke

Im Jahr neunzehnhundertfünfundvierzig kam der Frühling sehr früh. Das war gut, weil wir kein Holz und keine Kohlen mehr zum Heizen hatten. Viel besser war noch, daß im März mein Vater von der Front kam.

Mein Vater lag nun in Wien in einem Lazarett. Vorher war er in Deutschland in einem Lazarett gewesen und noch vorher in einem Lazarett in Polen. Und noch davor in Rußland in einem

Eisenbahnzug, irgendwo auf den Schienen, ohne Lokomotive. Mit dreißig anderen Soldaten in einem offenen Güterwaggon und darüber russische Tiefflieger. Mein Vater hatte zerschossene Beine, und überall auf seinem Körper eiterten Granatsplitter aus dem Fleisch. Doch er konnte mühselig herumhumpeln, und er bekam jeden Morgen im Spital einen Urlaubsschein und durfte zu uns nach Hause kommen und bis zum Abend bei uns bleiben.

Daß mein Vater nun in Wien im Lazarett lag, war weder Zufall noch Glück. Das hatte mein Onkel, der Bruder meiner Mutter, erreicht. Der war ein großer SS-Nazi, in Berlin im Führerhauptquartier. Und daß mein Vater jeden Tag einen Urlaubsschein bekam, war auch kein Zufall. Unter den Uhrenfurnituren vom Großvater, ganz unten in der letzten Lade vom Schrank, waren noch etliche Uhren gewesen, Armbanduhren und Wecker und eine Küchenuhr. Der Großvater hatte sie wie einen Schatz gehütet. Nun bekam sie der Unteroffizier in der Schreibstube vom Lazarett. Der schrieb dafür die vielen Urlaubsscheine aus.

Die Russen waren nicht mehr weit von Wien weg. Wo sie waren, wußte niemand genau. Jeden zweiten Tag fiel die Schule aus. Wegen der Bombenangriffe in der Nacht. Das war aber ganz gleich, weil wir sowieso nicht lernen konnten. In unserer Schule waren jetzt auch die Schüler von zwei anderen Volksschulen, die zerbombt worden waren.

Die Frau Brenner grüßte noch immer mit Heil Hitler, und die Frau Sula, die bei der Frau Brenner einmal in der Woche die Fenster putzte, sagte, daß sich die Frau Brenner eine Menge Gift besorgt habe. Wenn die Russen kämen, würde die Frau Brenner sich selber und den Herrn Brenner und die Brenner-

Hedi und den Brenner-Hund vergiften. Mir tat der Brenner-Hund leid.

Dann kam ein Tag, da heulten um fünf Uhr am Morgen die Luftschutzsirenen auf den Dächern. Um sieben heulten sie wieder, und um acht heulten sie auch. Zu Mittag konnte nur noch eine Sirene heulen. Die anderen Sirenen lagen auf den Schutthaufen unter Dachziegeln und Mauerbrocken und zerschlagenen Türen und zerbrochenen Fenstern und umgefallenen Schornsteinen. Mein Vater sagte, daß wir trotzdem Glück haben, weil die Amerikaner keine Brandbomben herunterwerfen.

Wir saßen seit zehn Stunden im Keller. Wir waren hungrig. Doch niemand getraute sich, aus den Wohnungen Essen zu holen. Niemand wagte den Keller zu verlassen. Im Keller war kein Klo. Die Leute hockten sich in die Kellerwinkel. Der Berger Schurli sang: »Drunt' in Stein am Anger steht ein Kampfverband, ein langer, rechts keine Jäger, links keine Flak, doch wir schießen alle ab!«

Die Frau Brenner empörte sich darüber und jammerte wieder einmal ihr »Wenn-das-der-Führer*-Wüßte«, und die Frau Berger, die Mutter vom Schurli, schaute die Frau Brenner an und sagte langsam: »Wissen Sie, was mich Ihr Führer kann? Ihr Führer kann mich am Arsch lecken!«

Die anderen Kellerhocker nickten zustimmend.

Als die Bombe in unser Haus einschlug, sauste und krachte und wackelte es auch nicht mehr als vor einer Stunde, als das Nachbarhaus kaputtgegangen war. Doch der ganze Keller war voll Mauerstaub, und der Verputz fiel von den Wänden und ein

---

* »Führer« – Adolf Hitler

paar Ziegelsteine hinterher. Dem Herrn Benedikt fiel ein Ziegelstein auf den Kopf. Der Herr Benedikt bekam große Angst.
Er wollte aus dem Keller. Er schlug wild um sich. Er boxte alle,
die ihm im Weg waren, zur Seite. Er trat mich in den Bauch.
Das tat weh.

Unsere Nachbarin brüllte: »Wir sind verschüttet! Wir sind
lebendig begraben! Wir kommen da nie mehr heraus!«

Das war aber nicht wahr. Wir waren nicht verschüttet. Die
Kellertür war aus den Angeln gerissen und lag zerbrochen auf
der Kellertreppe, und darauf lagen die gußeiserne Bassena*
und die Hausleiter und der Vogelkäfig der Hausmeisterin
(ohne Vogel) und Ziegel und Schutt. Doch das war leicht weg-
zuräumen.

Unser Haus sah aus wie ein trauriges Puppenhaus. Die eine
Hälfte war eingestürzt, und die andere Hälfte stand hilflos und
sehr allein mit offenen, halben Zimmern. Das Stiegenhaus war
auch weg.

Die Frau Benedikt konnte nicht begreifen, daß im zweiten
Stock, an die rosa Zimmerwand gedrückt, ihr Kleiderschrank
lehnte und daß ihr niemand den dicken Mantel aus dem
Schrank holen wollte. Ich kroch über den großen Schutthaufen. Das war verboten. Wegen der Einsturzgefahr. Doch
niemand kümmerte sich um mich. Im Schutt lagen viele Sachen, die ich kannte. Die Pendeluhr von Herrn Benedikt,
unser grüner Küchenvorhang, die große braune Gurgelwas-
serflasche unserer Nachbarin und ein Teil vom roten Samtsofa
der Frau Brenner. Ich fand ein Puppenwagenrad und war mir
nicht sicher, ob es zu meinem Puppenwagen gehörte. Und ich

---

* Bassena – Wasserbecken im Hausflur.

fand eine große weiße Schachtel. Darin lagen zwischen Holzwolle zwölf bunte, glitzernde Christbaumkugeln. Keine einzige Kugel war zerbrochen. Ich stocherte im Ziegelstaub, zerbröselte Mauer zwischen den Fingern, riß Holzsplitter von Balken, zog Schilfrohrstücke aus Verputzbrocken und tupfte vorsichtig mit dem Zeigefinger auf Glassplitter.

Der Haushaufen, auf dem ich saß, war ungefähr fünf Meter hoch. Vorher war das Haus vierzehn Meter hoch gewesen. Ich dachte daran, eine Stange zu suchen, eine fünf Meter lange Stange. Ungefähr fünf Meter unter mir mußte mein Bett sein. Oder saß ich über der Küche?

Ich hatte Durst. Mauerstaub macht durstig. Er klebt an den Lippen, an der Zunge, im Hals. Ich kletterte vom Haushaufen.

Die Wohnung der Großmutter war in dem Teil des Hauses, der stehengeblieben war. Die halbe Küche fehlte, das Zimmer war ganz. Quer über die Zimmerdecke ging ein tiefer Riß. Meine Schwester wollte nicht in das Zimmer gehen. Sie hatte Angst vor dem Riß. Der Großvater blieb mit ihr in der halben Küche. Ich ging mit der Großmutter in das Zimmer. Die Großmutter hob zerbrochene Blumentöpfe auf, brach Glasscherben aus den Fensterrahmen, wischte Mauerstaub von den Möbeln. Ich hockte mich auf das Ehebett. Das Ehebett war staubig. Ich betrachtete den Riß in der Zimmerdecke.

Meine Mutter ging zur Kartenstelle, um einen »Bombenschein« zu holen. Ein Bombenschein war wichtig. Dafür bekam man eine Wolldecke, ein neues Kleid und angeblich auch Schuhe mit Ledersohlen. Aber nur, wenn man einen Totalschaden nachweisen konnte.

Mein Vater humpelte ins Lazarett. Er mußte um fünf Uhr dort sein. Er humpelte noch mehr als sonst. Beim Schuttwegräumen waren ihm etliche Mauerbrocken auf die eitrigen Beine gefallen. Die Großmutter steckte den Kopf durch die zerbrochene Fensterscheibe und schaute meinem Vater nach. Sie murmelte – und weil sie so schwerhörig war, murmelte sie sehr laut: »Armer Bua, armer Bua, armer Bua...« Und dann brüllte sie los: »Ihr Bagage! Ihr Hunde! Ihr Verbrecher! Was habt's denn mit mein Buam g'macht! Ihr Verbrecher!«

Der Großvater kam aus der halben Küche herein und zog die Großmutter vom Fenster weg. »Juli, Juli«, sagte er, »Juli, hör doch auf, der Blockwart geht um den Häuserblock!«

Die Großmutter warf sich quer über den Zimmertisch. Sie schlug mit den Fäusten auf die Tischplatte. Ihre Füße zappelten in der Luft. Sie schrie weiter: »Verbrecher, Verbrecher...«

Der Großvater versuchte, ihr den Mund zuzuhalten. Die Großmutter biß ihn in die Hand. Der Großvater brüllte: »Auweh!« Die Großmutter wurde still. Sie schrie nicht mehr, sie trommelte auch nicht mehr. Und die Füße zappelten nicht mehr. Sie blieb auf der Tischplatte liegen und weinte. Der Großvater zog ihr die Brille von der Nase. Er holte sein Taschentuch aus der Hosentasche und gab es der Großmutter.

Meine Mutter kam von der Kartenstelle zurück. Sie brachte die Bombenscheine und zwei Decken. Schuhe und Kleider gab es nicht mehr. Ich starrte noch immer auf den Riß. Langsam wurde es dunkel. Ich konnte den Riß nicht mehr gut sehen. Aber ich mußte den Riß unbedingt sehen. Ich rief: »Es ist zu finster! Macht Licht! Sonst wird der Riß breiter! Sonst fällt uns alles auf den Kopf!«

Meine Mutter sagte, daß die elektrischen Leitungen kaputt sind und die Petroleumlampen auch und daß wir keine Kerzen haben. Die Großmutter fand aber doch einen Kerzenstummel. Sie zündete den Stummel an. Die Flamme flackerte, weil keine Fensterscheiben in den Fenstern waren und der Wind durch das Zimmer blies. Die Großmutter stieg mit dem flackernden Kerzenstummel in der Hand auf den Tisch. Sie hielt die Kerze hoch. Der Riß in der Decke war nicht breiter geworden. Ich schlief ein.

4.
Die Frau von Braun
Die Villa der Frau von Braun · Das Angebot

Am nächsten Morgen kam die Frau von Braun. Ich erwachte im Ehebett der Großmutter. Neben mir lag meine Schwester. Sie schlief noch. Sie stöhnte im Schlaf. Ihre Stirn und ihre Nase waren voll Staub.

Die Frau von Braun stand rothakennäsig, plüschbemäntelt im Zimmer der Großmutter.

Ob ihre Wohnung auch ausgebombt sei, fragte der Großvater. Die Frau von Braun schüttelte empört den Kopf. Das hieß: Also, erlauben Sie! Eine Frau von Braun hat mit solchen Sachen nichts zu schaffen!

Die Frau von Braun setzte sich vor mich auf das Ehebett. Ich rückte weg. Die Frau von Braun klopfte mit ihrem silbernen Spazierstock ein paarmal auf den Boden. Mauerstaub wirbelte hoch. Die Großmutter kam mit dem Staubfetzen und wischte. Die Frau von Braun verkündete: »Ich habe draußen in Neuwaldegg meine Sommervilla!« Das hätte sie nicht zu sagen brauchen. Das wußte jeder bei uns in der Gegend. Die Frau von Braun kannte man. Sie war uralt und reich und vornehm. Und ein Nazi war sie auch.

Nun waren aber die Russen nicht mehr weit weg von Wien, und die Amerikaner schmissen die vielen Bomben. Ein Nazi zu sein war jetzt gar nicht mehr so leicht. Die alte Frau von Braun war zu der Überzeugung gelangt, daß Führer und Vaterland sie hier in Wien nicht mehr brauchten. Sie wollte auf ihren Bauernhof nach Tirol fahren. (Leute wie die Frau von Braun haben immer einen Bauernhof, auf den sie sich zurückziehen können.)

Auf dem Bauernhof in Tirol war es friedlich. Dort gab es keine Russen und auch keine Bomben.

Doch die Frau von Braun hatte um ihre Neuwaldegger Sommervilla Angst. Man läßt nicht gern eine so große, schöne Villa allein; besonders nicht in so schlechten Zeiten. Weil es doch in Wien, wie die Frau von Braun erklärte, soviel Gesindel gab. Die Frau von Braun brauchte also dringend jemanden, der auf ihre Sommervilla aufpaßte, während sie in Tirol war. Sie machte uns den Vorschlag, ihre Villa zu hüten.

Meine Großmutter verstand nicht, was die Frau von Braun sprach. »Was will sie denn? Was sagt sie denn?« fragte sie.

Der Großvater brüllte der Großmutter ins Ohr, was die Frau von Braun wollte. Meine Großmutter wehrte ab. Sie schaute auf den Riß in der Decke. »Der hält noch lange!« erklärte sie. »Länger als das ganze tausendjährige Hitlerreich!«

Mein Großvater seufzte. Er wäre sicher gern gegangen. Die Großmutter schaute ihn wild an. Der Großvater beschloß, auch in dem Zimmer mit Riß bleiben zu wollen. Er sagte zur

26

Frau von Braun: »Leider, gnädige Frau, die Juli will nicht, wir können nicht!«

Meine Mutter hatte kein Zimmer mehr, nicht einmal eines mit Riß in der Decke. Sie nahm das Angebot der Frau von Braun an. Sie bedankte sich sogar bei der Frau von Braun.

Die Frau von Braun trug uns auf, die Biedermeiermöbel in der Villa nicht zu berühren, die Teppiche aufgerollt zu lassen, die Fensterläden zu waschen, die Beete im Garten zu gießen, den Parkettboden nicht zu zerkratzen und die Haustür und die Gartentür stets versperrt zu halten. Meine Mutter versprach das alles, und ich bekam eine große Wut darüber, daß meine Mutter so untertänig vor der alten, rothakennäsigen Schachtel stand und »jawohl, Frau von Braun, natürlich, Frau von Braun, aber das ist doch selbstverständlich, Frau von Braun« sagte.

Dann überreichte die Braun meiner Mutter die Schlüssel für die Villa, erklärte, welches der Schlüssel zum großen Tor und welches der Schlüssel zum kleinen Tor ist, sagte »Heil Hitler«, klopfte noch ein paarmal mit dem silbernen Spazierstock auf den Boden und stieg dann über Ziegelsteine, halbe Klomuscheln und Fensterrahmen. Auf der Straße wartete ein Wehrmachtsauto auf sie.

Das Wehrmachtsauto fuhr ab. Die Großmutter schaute dem Auto nach. Diesmal brüllte sie nichts hinterher. Sie hatte in den letzten Tagen zuviel gebrüllt. Sie war müde.

5.
Die Als • Die Bombenverschwendung
Die Brüste im Salzfaß
Der falsche Urlaubsschein

Am Nachmittag machten wir uns auf den Weg. Meine Mutter, meine Schwester und ich. Wir gingen nach Neuwaldegg. Die Straßenbahn fuhr nicht, seit Wochen nicht mehr. Wir gingen die Straßenbahnschienen entlang. Ich zählte die Bombentrichter in der Straße. Auf der Alszeile gab es besonders schöne Bombenlöcher. Dort fließt nämlich unterirdisch die Als, in einem gemauerten Gewölbe. Die Bomben hatten die dicke Straßendecke durchschlagen.

Ich stand mit meiner Schwester am Rand eines Bombentrichters. Meine Mutter hielt uns an der Schulter fest. Wir starrten hinunter ins schwarze Wasser. In die Als münden alle Kanäle der Gegend. Die Als stank bis zu uns herauf.

Wir sahen etwas vorbeischwimmen.

Meine Mutter behauptete, es sei eine Ratte. Dann kam ein Blockwart mit einer Hakenkreuzbinde am Arm. Er sagte, am Rande von Bombentrichtern stehen ist gefährlich! Wir mußten weitergehen. Meine Mutter rief dem Blockwart nach: »Gibt es noch irgend etwas, was heutzutage nicht gefährlich ist, Herr Blockwart?«

Der Blockwart gab ihr keine Antwort, drehte sich nicht einmal um. Unsere Schuhe hatten Holzsohlen. Schuhe mit Ledersohlen gab es schon lange nicht mehr. In Schuhen mit Holzsohlen kann man schlecht laufen. Die Füße brennen und stechen; man bekommt Blasen. Bei der Endstation der Straßenbahnlinie setzten wir uns auf eine Parkbank. Ich zog meine Schuhe aus und stellte die heißen Füße auf den kalten Erdboden. Das war angenehm. Im Schuh meiner Schwester war irgendwo ein Nagel, der stach. Meine Mutter versuchte, den Nagel herauszuziehen.

Bei der Endstation von der Straßenbahn war es still und friedlich. Hier gab es keine Fabriken und keine großen Wohnblocks. Hier gab es keine Bombenruinen. Hier gab es nur hübsche Villen in großen Gärten. Keine einzige Villa war zerstört. Ich fragte: »Warum schmeißen die Amerikaner keine Bomben auf Neuwaldegg?«

Meine Mutter sagte: »Weil das Bombenverschwendung wäre. Da könnten sie mit einer Bombe höchstens vier Leute umbringen!«

»Und wenn die Bomben in die Gärten fallen«, erklärte mir meine Schwester, »dann geht höchstens ein Birnbaum kaputt. Dazu sind die Bomben viel zu teuer, verstehst du?«

Ich verstand es und freute mich sehr, in einer Gegend zu sein, die für Bomben zu teuer war.

Ich zog gerade meine Holzschuhe wieder an, da sah ich einen Mann auf der Straße humpeln. Der Mann trug eine graue Soldatenuniform. Er sah so aus wie mein Vater. Ich rief: »Der Vati kommt uns nach!«

Meine Mutter war müde. Sie lehnte mit geschlossenen Augen auf der Bank. Sie machte die Augen nicht auf. Sie sagte: »Der Vati ist im Lazarett. Der kann heute nicht kommen. Dem werden heute ein paar Granatsplitter aus dem linken Bein geholt. Vielleicht kommt er uns morgen oder übermorgen besuchen!«

Der Mann in der grauen Soldatenuniform war nun schon

sehr nahe. Es war mein Vater. Er setzte sich zu uns auf die Bank. Er klemmte seinen Krückstock zwischen die Knie, legte den Kopf auf den Stockknauf, seufzte tief und sagte: »Für mich ist der Krieg aus!«

Wir starrten meinen Vater an. Mein Vater lächelte und fuhr fort: »Heute in der Früh war im Lazarett alles durcheinander. Es ist der Befehl gekommen, daß das ganze Lazarett nach Deutschland evakuiert werden muß. Weil die Russen schon so nahe sind. Alle müssen weg. Sogar die Frischoperierten!«

»Und du«, fragte meine Mutter, »und du, du mußt nicht weg? Wieso mußt du nicht weg?«

»Ich bin abgehauen«, erklärte mein Vater, »aus dem Zug heraus. Die Lok hat schon gepfiffen. In dem Durcheinander hat es niemand bemerkt. Die sind herumgerannt wie die Hühner und hatten alle eine Scheißangst!«

Ich saß ganz still. Ich versuchte, keine Angst zu haben. Aber ich war ja kein Trottel. Ich wußte genau: Ein Soldat, so krank und verwundet und zerschossen er auch ist, ist trotzdem noch immer ein Soldat. Der kann nicht tun, was er will. Der muß tun, was ihm befohlen wird. Ein Soldat, der statt im Zug nach Deutschland auf einer Parkbank in Neuwaldegg sitzt, ist ein Deserteur. Deserteure werden erschossen. In letzter Zeit sogar ohne Gerichtsverfahren, ohne Prozeß. Einfach erschossen.

»Gehn wir weiter«, sagte meine Mutter. Sie hatte es plötzlich eilig. Wir standen auf. Der Nagel im Schuh meiner Schwester stach noch immer. Auf meiner Fußsohle war eine dicke Wasserblase. Ich spürte, wie sie zerplatzte.

»Es ist nicht mehr weit«, sagte meine Schwester. Ich gab ihr die Hand.

Wir begegneten kaum Leuten. Manchmal sahen wir jemanden hinter einem Gartenzaun. Die Fensterläden der meisten Villen waren geschlossen.

»Die sind alle in den Westen«, meinte meine Mutter, »die haben vor den Russen Angst!«

»Die Russen schneiden den Frauen die Busen ab und erschießen die Kinder und rauben die Häuser aus und zünden alles an, und alle verbrennen«, sagte meine Schwester.

»Woher hast du denn den Blödsinn?« fragte mein Vater.

Meine Schwester zuckte mit den Schultern. »Das sagen sie alle in der Schule. Die Turnlehrerin und die Kinder und die Frau Brenner, und beim BDM* sagen sie es auch.«

Ich rief: »Mir hat es der Berger Schurli gesagt. Dem hat sein Onkel erzählt, daß die Russen die Frauen zerstückeln, und dann schmeißen sie sie in Fässer und salzen sie ein!«

»Wieso salzen sie sie denn ein?« erkundigte sich meine Schwester. Ich hatte auch keine Ahnung, warum die Russen die Leute angeblich einsalzen.

Bei der Kreuzung Atariastraße – Neuwaldegger Straße stand ein offenes Wehrmachtsauto. Zwei Soldaten von der Streife lehnten dort an der Motorhaube. Es waren zwei dünne, sehr junge Soldaten.

»Und was tun wir jetzt?« fragte meine Mutter leise.

»Weitergehen, schön brav weitergehen«, sagte mein Vater.

Meine Schwester hielt mich noch immer an der Hand. Ihre Finger waren heiß und feucht. Sie hielt meine Hand sehr fest.

---

* BDM (Bund Deutscher Mädel) – Nationalsozialistische Jugendorganisation

Je näher wir den Soldaten kamen, um so fester hielt sie meine Hand.

Nun waren wir beim Wehrmachtsauto. Einer der Soldaten stellte sich uns in den Weg. Er verlangte von meinem Vater die Ausweispapiere. Mein Vater holte sein Soldbuch aus der Rocktasche. Die Soldaten studierten das Soldbuch. Dann reichte ihnen mein Vater einen Zettel. Die Soldaten schauten auf den Zettel, schauten den Zettel lange und genau an, nickten, gaben meinem Vater den Zettel zurück, salutierten und traten zur Seite.

Wir gingen weiter. Drei Häuser weiter. Bis zum Gartentor Nummer achtundfünfzig. Meine Mutter holte den Schlüsselbund, den ihr die Frau von Braun gegeben hatte, aus der Tasche. Sie versuchte, das Gartentor aufzusperren, doch der Schlüssel zitterte in ihrer Hand. Mein Vater nahm den Schlüssel und sperrte auf.

Im großen, eisenverschnörkelten Gartentor öffnete sich eine kleine Tür. Bevor ich in den Garten trat, schaute ich die Straße hinunter. Die zwei dünnen, sehr jungen Soldaten lehnten wieder am Wehrmachtsauto. Einer zündete sich gerade eine Zigarette an.

»Wieso hat dich die Streife durchgelassen?« fragte meine Mutter. Wir gingen über einen breiten Kiesweg auf die große, hellgelb verputzte Villa zu.

Mein Vater holte den Zettel, den er den Soldaten gezeigt hatte, aus der Tasche. »Das ist ein Urlaubsschein«, grinste er, »und morgen stelle ich mir wieder einen neuen Urlaubsschein aus!« Er klopfte auf seine Uniformjacke. Dorthin, wo auf der Innenseite die Brusttasche war. »Alles da«, sagte er, »eine ganze Schreibstube! Urlaubsscheine, Stempel, alles da!«

»Woher hast du denn das alles?« wollte meine Mutter wissen.

»Na ja, geschenkt hat es mir niemand. Ist halt so herumgekugelt in der Schreibstube. Und der kluge Mann sorgt vor!«

Meine Mutter seufzte. »Glaubst du, daß du damit durchkommst?«

Mein Vater gab keine Antwort.

»Wenn die Russen nicht bald kommen«, sagte meine Mutter, »dann schnappen dich die Deutschen!«

»Wann kommen denn die Russen?« fragte meine Schwester. Meine Mutter zuckte mit den Schultern.

»Die Russen kommen bald«, sagte mein Vater, »sehr bald!«

6.
Die verschiedenen Salons • Die Onkel
Die Zwerge • Die Lusthäuser
Die Venus von Braun

Die Villa der Frau von Braun war sehr groß und sehr gelb. Die Fensterläden waren braun. Das Dach war grau. Das Haus hatte eine runde Terrasse und eine viereckige Terrasse und einen schmalen, langen Balkon und einen kurzen, breiten. Es hatte drei Erker und ein kleines Türmchen und ein großes Türmchen. Zwei Fahnenstangen hatte es auch.

Ich hatte noch nie so ein Haus gesehen. Die größte Wohnung, die ich kannte, war die von der Margit Koch. Die hatte ein Wohnzimmer, ein Schlafzimmer, eine Küche, ein Speisezimmer und ein Kinderzimmer. Doch im Haus der Frau von Braun gab es die merkwürdigsten Zimmer. Da war ein riesiges Zimmer nur für Bücher. Überall an den Wänden waren Bücher. Bücher mit dicken dunkelbraunen Lederrücken und goldenen Buchstaben darauf.

Und ein Zimmer gab es, das hatte fünf Fenster. Meine Mutter nannte es: Salon. Das Wort »Salon« kannte ich. Es stand über der Eingangstür zur Schneiderei von Herrn Hampasek. *Schneidersalon* Otto Hampasek stand dort, und über dem längst zugesperrten Eisgeschäft vom Herrn Tonio Peregrini stand: *Italienischer Eissalon*.

Aber der Salon bei der Frau von Braun war zu überhaupt nichts gut. Sessel standen darin, die hatten alle unförmige, graue Leinenüberzüge. Sogar von der Zimmerdecke hing ein Riesending in einem grauen Leinenüberzug. Angeblich war darunter ein glitzernder, gläserner Kronleuchter. Und die Leinenüberzüge waren gegen den Staub. Wir durften sie nicht wegnehmen. Weil das nicht unser Haus ist, sagte meine Mutter.

Dann gab es noch eine Menge Zimmer, die keine Wohnzimmer, keine Schlafzimmer, keine Speisezimmer und schon gar keine Kinderzimmer waren. Im Parterre, im ersten Stock, unter dem Dach. Und überall standen die grauleinenen Ungeheuer, und in den Ecken lagen aufgerollte Teppiche. Am Abend, wenn es finster wurde, war es unheimlich, durch die Zimmer zu gehen.

Zwischen den Zimmern waren große, gläserne Flügeltüren. Wenn sich meine Schwester in die Mitte eines Zimmers stellte und mit aller Kraft auf die Parkettbodenbretter stampfte, dann sprangen die gläsernen Flügeltüren von selber auf.

Gerne gingen wir auch ins Onkel-Zimmer. Das Onkel-Zimmer hieß angeblich »Musikzimmer«.

Das einzige Möbelstück im Onkel-Zimmer war ein riesiges Klavier mit zwei Klavierhockern. An den Wänden hingen Ölbilder. Nicht nur nebeneinander, auch übereinander und untereinander. Und in den Ecken lehnten auch noch welche. Auf jedes Ölbild war ein Mann gemalt. Im Onkel-Zimmer spielten meine Schwester und ich das »An-welchen-Onkel-denke-ich-Spiel«. Ich setzte mich auf einen Klavierhocker, drehte mich im Kreis und suchte mir dabei unauffällig einen ölgemalten Onkel aus.

Meine Schwester setzte sich auf den anderen Klavierhocker und versuchte zu erraten, an welchen Ölbildonkel ich dachte.

»Hat er vielleicht ganz hellblaue Glotzaugen?« fragte sie. Ich nickte mit dem Kopf.

»Hat er vielleicht sehr große, abstehende Ohren?« fragte sie. Ich nickte mit dem Kopf.

»Hat er auch einen Bart?« fragte sie. Ich nickte wieder.

»Ist der Bart in zwei Spitzbärte geteilt?« Ich schüttelte den Kopf.

Wenn sie dann endlich rief: »Du meinst den linken Onkel in der obersten Reihe auf der rechten Wand beim Fenster?«, dann hieb ich mit allen zehn Fingern in die Klaviertasten, so laut, daß die Onkel an den Wänden zitterten und wackelten.

Das »An-welchen-Onkel-denke-ich-Spiel« war kein leichtes Spiel. Die Onkel sahen sich sehr ähnlich. Sie hatten alle hellblaue Glotzaugen und einen Bart und abstehende Ohren und eine Halbglatze.

Der Garten der Frau von Braun war nicht weniger merkwürdig. Da gab es Bäume und Sträucher, die wir noch nie gesehen hatten. Ein Baum schaute aus wie ein Tannenbaum. Aber er hatte winzig kleine hellgelbe Blüten. Also konnte er doch kein Tannenbaum sein. In einem großen Beet stand eine nackte steinerne Frau ohne Arme und ohne Nase.

»Arme hat sie absichtlich keine«, behauptete meine Mutter, »aber die Nase ist abgebrochen, die hat sie schon gehabt.«

Hinter dem Haus war eine Wiese. Durch die Wiese floß ein kleiner seichter Bach. Meine Mutter sagte, das sei die Als. Aber ich glaubte ihr nicht. Ich hatte doch die Als gesehen. Durch die Bombenlöcher auf der Alszeile. Dort war die Als tief und schwarz, und sie hatte gestunken, und eine Ratte war darin geschwommen.

Im Garten waren auch zwei Lusthäuser. Ein kleines und ein großes. Sie waren zugesperrt. Wir hatten keinen Schlüssel dazu. Trotzdem stritt ich mit meiner Schwester immer um die Lusthäuser. Sie behauptete nämlich, das große Lusthaus sei das ihre. Weil sie älter sei. Das stünde ihr zu.

Um die Gartenzwerge stritten wir auch. Die Frau von Braun hatte dreizehn Gartenzwerge. Die waren auf die verschiedenen Beete verteilt. Meine Schwester schleppte die Gartenzwerge auf die Wiese hinter das Haus. Wir spielten mit ihnen Vater-Mutter-Kind. Meine Schwester war der Vater, ich war die Mutter, und die Gartenzwerge waren die Kinder. Wir wollten aber nicht dreizehn Kinder haben, sondern nur drei, und wir konnten uns nie darüber einig werden, welche von den Gartenzwergen die besten Kinder abgaben. Der mit dem

Schubkarren oder der mit den Blumenkörberl in den Händen oder der mit dem Korb auf dem Rücken oder der mit der Laterne oder der mit der Schaufel. Einig waren wir uns nur darüber, daß wir den Gartenzwerg mit dem Schleifstein nicht brauchen konnten. Ein Kind, das dauernd Messer schleift, ist langweilig.

Mein Vater blieb immer im Haus. Es sollte ihn ja niemand sehen. Er lag meistens im Bücherzimmer auf dem Teppich. Er hatte den Teppich trotz Verbot aufgerollt und las in den dicken, alten Büchern. Manchmal las er mir eine Stelle vor, wenn sie ihm besonders gut gefiel. Ich verstand überhaupt nichts, aber ich nickte begeistert. Meine Vater machte uns auch aus Papier kleine Schifferln. Er riß dazu die Seiten aus einem Buch, das er im Schreibtisch der Frau von Braun gefunden hatte. Auf dem Buchdeckel war ein großes schwarzes Hakenkreuz. Im Buch waren Führer-Reden abgedruckt.

Manchmal stiegen wir mit meinem Vater auf den Dachboden, kletterten aus einem Dachfenster und legten uns auf dem Dach in die Sonne. Dort konnte mein Vater nicht gesehen werden. Unser Haus war viel höher als die anderen Häuser rundherum.

Ich erzählte meinem Vater immer, was ich im Garten und im Haus entdeckt hatte. Ich erzählte ihm von der steinernen Frau ohne Arme und ohne Nase und vom Tannenbaum mit den hellgelben Blüten und von dem winzigen Bach, der die Als sein sollte. Meinem Vater glaubte ich, daß der Bach tatsächlich die Als war. Mein Vater taufte die steinerne Frau »Venus von Braun«. Auch für die merkwürdigen Bäume fand er hübsche Namen. »Indonesischer Sauerkirschenbaum« nannten wir den einen, »Mühlviertel-Zitter-Plunderich« einen anderen.

Meine Mutter war oft weg. Bis zum Milchgeschäft mußte sie eine halbe Stunde laufen. Bis zum Fleischhauer eine dreiviertel Stunde. Und beim Bäcker mußte sie eine Stunde anstehen.

Wenn sie wiederkam, hatte sie dann einen viertel Liter Milch und zehn Dekagramm graue, klebrige Wurst und einen halben Laib brösliges, graugelbes Brot. Das Brot ließ sich nicht schneiden. Man mußte Brocken herunterreißen. Die Wurst schmeckte nach Mehl und ranzigem Schmalz und stank. Die Milch war hellblau und durchsichtig.

Ein paarmal ging meine Mutter auch zu Fuß bis in die Stadt hinein. Sie lief mit unserem Bombenschein kreuz und quer durch Wien, um ein Geschäft zu finden, in dem es noch Unterhosen und Schuhe gab. Sie fand keines.

Wir brauchten aber unbedingt ein paar Sachen zum Anziehen. Im Haus hatten wir zwar einige Handtücher und Geschirrtücher und Bettzeug gefunden, aber keine Hemden und Unterhosen. Auch keine Zahnbürsten und keine Seife. Und Kleider und Schuhe schon gar nicht. Vor allem aber: Mein Vater brauchte eine Jacke, ein Hemd und eine Hose. Er konnte doch die Russen nicht in der deutschen Soldatenuniform begrüßen!

Meine Mutter ging noch einmal zu Fuß in die Stadt. Sie ging zu allen Freunden und Bekannten unserer Familie. Zu denen, die nicht ausgebombt waren. Sie kam mit einem großen Pakken Kleider zurück. Schuhe waren auch dabei. Und gleich fünf Hosen für meinen Vater.

»Männerhosen«, sagte meine Mutter, »Männerhosen hätte ich noch ein Dutzend haben können!«

Und dann erzählte sie uns, wie scheußlich und traurig es

gewesen sei, wie die Tante Hermi alle Hosen und Jacken vom Onkel Toni aus dem Schrank gerissen und geschluchzt hatte: »Nimm's, nimm's, er braucht's ja nicht mehr. Eine Leich' braucht keinen Esterhazy-Anzug!«

Meine Mutter hatte die Hosen vom Onkel Toni aber trotzdem nicht genommen, weil der Onkel Toni klein und dick gewesen war. Die Hosen hätten meinem Vater überhaupt nicht gepaßt. Die Nachbarin von der Tante Hermi hatte auch einen totgeschossenen Mann. Der war groß und dünn gewesen. Von der Nachbarin bekam meine Mutter die Hosen für meinen Vater.

Mir brachte meine Mutter ein Paar wunderschöne Lederschuhe mit, rot mit weißen Schnürbändern. Leider waren mir die Schuhe zu klein. Mein Vater schnitt vorn in die Schuhe ein Loch. Da konnte ich die große Zehe durchstecken. So paßten die Schuhe. Und ein Kleid bekam ich auch. Es war mir zu lang und zu weit. Außerdem hatte es ein scheußliches Rosenmuster. Ich weigerte mich, das Kleid anzuziehen. Es nützte nichts, sie steckten mich mit Gewalt in das entsetzliche Ding, und meine Schwester lachte und sagte: »Du schaust aus wie eine geblümte Steppdecke!«

7.

Die Tauschgeschäfte • Die Zaunrunde:
Der Forstrat • Der Engel
Der Herr Wawra • Der Herr Goldmann

Zweimal in der Woche kam uns der Großvater besuchen. Er brauchte drei Stunden, bis er bei uns war. Er konnte nicht mehr so schnell laufen.

Der Großvater brachte uns immer etwas mit, was er aus den Schutthaufen ausgegraben hatte. Er brachte die merkwürdigsten Dinge: eine Kinderbadewanne, zwei rot-weiß getupfte Schalen, einen Schöpflöffel, ein wollenes Schultertuch, einen Rasierapparat, eine Schere, eine Flasche Parfüm, einen alten Rock und einen bombensplitterzerlöcherten Pullover. Meine Mutter ribbelte das Schultertuch und den zerlöcherten Pullover auf. Sie wollte uns Westen daraus stricken. Doch sie hatte keine Stricknadeln. Sie durchsuchte das ganze Haus nach Stricknadeln. Sie schimpfte: »Verdammt noch einmal! Alles haben sie hier! Kronleuchter und Ölgemälde und Schäferhunde aus Porzellan! Aber keine einzige Stricknadel!«

Dann nahm sie die Kinderbadewanne und ging fort. Nach einer Stunde kam sie zufrieden zurück – mit Stricknadeln. Sie hatte irgendwo die Badewanne gegen Stricknadeln eingetauscht.

Jeden Tag flogen Flugzeuge über unser Haus. Doch wir hatten keine Angst vor ihnen. Die Flugzeuge flogen in die Stadt. Bei uns warfen sie keine Bomben herunter.

Der Großvater erzählte uns, daß jetzt auch in der Stadt weniger Bomben fielen. Weil schon alles zerstört war. Er erzählte uns, daß in unserem alten Häuserblock kein einziges Haus mehr stand und daß alle Leute, die noch lebten, im Pezzlpark im Bunker wohnten. Nur die Großmutter und er waren noch in der Ruine, in dem Zimmer mit Riß in der Dekke. Die Großmutter hatte die Fensterscheibe mit Pappe zugenagelt. Doch wenn der Wind blies, war das ganze Zimmer voll Mauerstaub, und die Großmutter wischte und putzte den ganzen Tag. Sie hatten natürlich auch kein elektrisches Licht mehr und kein Gas zum Kochen, und das Wasser mußte der Großvater vom Pezzlpark-Bunker in einem Kübel holen.

Jeden Morgen machte ich meine »Zaunrunde«. Ich fing beim großen Gartentor an. Der Zaun zur Straße hin war hoch. Er war aus dicken, schwarzen Eisenstäben. Die sahen wie Lanzen aus, und zwischen den Lanzen waren noch eiserne Blumen und eiserne Kringel und eiserne Schnörkel. Die eisernen Lanzen steckten in einer kniehohen, roten Ziegelmauer. Ganz oben an den Lanzenspitzen waren drei Reihen rostiger Stacheldraht. Es war ein gewaltiger Zaun. Hinter dem Zaun, auf der Gartenseite, war eine dichte Buchsbaumhecke. Ich zwängte mich durch die Hecke, dann kletterte ich auf den eisernen Kringeln und Schnörkeln den Zaun hinauf, bis zu den Lanzenspitzen. Dort hielt ich Ausschau. Auf der anderen Straßenseite war ein Haus, da wohnte niemand mehr. Die Besitzer waren nach dem Westen geflohen. Ich hatte mir vorgenommen, dieses Haus zu erforschen. Da war nämlich – das konnte man von den Lanzenspitzen aus deutlich sehen – ein halboffenes Kellerfenster. Dort wollte ich einsteigen. Ich hatte alles genau geplant. Ich mußte nur noch darauf warten, daß der alte Forstrat, der daneben in einer Villa wohnte, mit seinen zwei Doggen spazierenging.

Ich spähte also von den Lanzenspitzen quer über die Straße. Das Kellerfenster war halb offen. Der Forstrat saß auf seiner Terrasse und frühstückte. Er hatte ein weiches Ei. Die Doggenviecher lagen neben ihm. Ich wartete, ob nicht doch vielleicht die Forsträtin kommen und den Forstrat zum Spazierengehen holen würde. Die Forsträtin kam nicht. Die Doggen gähnten.

Ich hangelte mich die eisernen Lanzen entlang. Vorsichtig, damit ich mir nicht eine rostige Stacheldrahtspitze in die Haut stach. Schaute aus nach Katzen, Soldaten, Wehrmachtsautos und nach dem ersten Russen.

Dann war der Lanzenzaun zu Ende. Ich kletterte herunter, zwängte mich durch die Buchsbaumhecke und stand vor dem Zaun zum Nachbargarten. Das war ein gewöhnlicher Drahtzaun. Dort erwartete mich der »Engel«. Der Engel war ein Mädchen, ungefähr so groß wie ich, aber sonst ganz anders. Der Engel hatte blonde Stoppellocken und eine Seidenschleife am Kopf. Jeden Tag eine andere Schleife. Der Engel trug auch jeden Tag ein anderes Kleid. Aus Samt oder aus geblümtem Stoff oder mit Kreuzstichen bestickt. »Engel« nannte ich das Mädchen deshalb, weil es wirklich Engel hieß: Susanna Maria Engel.

Ich schaute zuerst einmal den Engel an, stellte fest, daß das Kleid diesmal aus karierter Seide war und die Schleife ebenfalls, schnitt ein Gesicht und machte: »Bääääh!« Dabei streckte ich die Zunge raus. Dann ging ich langsam den Drahtzaun entlang. Der Engel ging auf der anderen Seite des Zauns neben mir. Meistens schob der Engel einen roten Puppenwagen vor sich her. Im Puppenwagen war eine schwarze Katze, die hatte ein Puppenkleid an und eine Babymütze auf dem

Kopf. Das mochte die Katze nicht. Sie miaute, schlug Purzelbäume und wollte aus dem Wagen springen. Der Engel drückte sie aber wieder in den Wagen, deckte sie mit einer rosa Seidensteppdecke zu und säuselte: »Nicht doch, Liebling! Brav sein, Liebling! Heia-heia!«

Ich sagte: »Ich habe zu Hause einen viel schöneren Puppenwagen!«

Der Engel hob die Augenbrauen, lächelte. »Wo hast du ihn denn? Zeig ihn mir doch, den schönen Puppenwagen!«

»Ich zeig ihn dir aber nicht!« sagte ich.

»Weil du gar keinen hast!«

»Ich hab einen!« brüllte ich.

»Gar keinen hast du! Gar nichts hast du! Nichts! Überhaupt nichts!«

Der Engel sagte das sehr bestimmt und sehr langsam und drückte das arme Katzenvieh wieder in den Puppenwagen.

»Laß die Katze los, du blöde Gurke«, rief ich.

»Ist doch meine Katze! Geht doch dich nichts an«, sagte der Engel und fügte hinzu: »Und in der Küche drinnen habe ich noch zwei Meerschweinchen und einen Kanarienvogel und eine weiße Maus. Und mein Onkel hat vier Hunde!«

»Hab ich auch!« schrie ich.

Der Engel schüttelte den Kopf. Dann waren wir am Ende des Zaunes. Ich machte noch einmal »bääh« und ließ den Engel stehen.

»Pfui«, sagte der Engel hinter mir her.

Ich lief über die Wiese, neben dem kleinen Bach, bis zum anderen Nachbargarten. Dort war ein großes Loch im Drahtzaun. Man konnte durchsteigen. Ich stieg durch. Der Mann, der jeden Vormittag im Nachbargarten arbeitete, hatte mir das erlaubt. Der Mann hieß Wawra. Er war der Hausmeister von der Nachbarvilla. Er wohnte ganz allein dort. Die Leute, denen das Haus gehörte, waren fortgefahren. »Ab nach Westen«, sagte Herr Wawra.

»Haben sie vor den Russen Angst gehabt?« fragte ich.

Der Wawra nickte. »Hach! Die haben vor den Russen Angst und vor den Amis und vor den Franzosen! Die haben vor allen Leuten Angst!« Dann schaute Herr Wawra versonnen in den blauen Himmel und erklärte mir: »Die haben auch allen Grund dazu!« Er zeigte auf das Haus. »Das haben sie dem alten Goldmann weggenommen. Dem Jakob Goldmann senior. Und die Zuckerfabrik haben sie ihm auch gestohlen! Alles, was sie haben, haben sie den Juden weggenommen!« Herr Wawra lachte. »Und jetzt, wo sie merken, daß ihr Hitler den Krieg verliert, jetzt haben sie eine Scheißangst, daß die Juden zurückkommen und ihnen den verdammten Nazischädel einschlagen!«

Ich sagte – und dabei zitterte meine Stimme ein bißchen, weil meine Mutter mir streng verboten hatte, mit fremden Leuten darüber zu reden –, ich sagte: »Herr Wawra, die Juden, die kommen nicht wieder. Die hat der Hitler alle eingesperrt, ins Konzentrationslager! Die werden alle umgebracht! Alle!«

»Kind! Kind! Halt doch den Mund!« flüsterte Herr Wawra. »Red doch nicht so! So was sollen Kinder gar nicht wissen!«

»Ich weiß es aber«, erklärte ich, »weil ich einen Onkel habe, der ist bei der SS ein ganz Hoher, im Führerhauptquartier. Einmal hat er mit meiner Mutti über die Juden gestritten, und da hat er gesagt, die Juden, die gehen im Konzentrationslager alle durch den Rauchfang! Pffftttt, hat er gemacht, als er das gesagt hat!«

»Schöne Onkel hast du, pfui Deibel«, murmelte Herr Wawra. Dann holte er einen Apfel aus der Hosentasche und schenkte ihn mir. Ich bedankte mich, ging zum Zaunloch.

Der Wawra kam mir nach. Er sagte: »Der Herr Goldmann kommt trotzdem zurück! Wirst schon sehn, Kind, wirst schon sehn!«

Nach dem Besuch beim Wawra ging ich noch einmal zum Gartentor, nachschauen, ob der Forstrat nicht vielleicht doch spazierengegangen war.

Der Forstrat dachte nicht daran. Er spielte mit seinen Hunden »Hölzchen-werfen-Hölzchen-bringen«.

8.

Die Besitzer • Die Rache

Einmal schaukelte ich auf dem großen Gartentor. Ich hielt mich an den Eisenstäben fest und sprang mit beiden Beinen ab. Das Tor schwang auf, sauste mit mir bis zum Zaun, schlug an die eisernen Lanzen, schwang zurück, klirrte ins Schloß. Ich stieß mich wieder ab. Die Tür sprang auf. Sauste mit mir bis zum Zaun. Da kam ein Auto gefahren und hielt vor unserem Garten. Autos sah man selten. Privatautos schon gar nicht. Das war aber ein Privatauto. Ein schwarzer Mercedes. Aus dem Auto kletterten ein Bub und ein Mädchen. Das Mädchen war etwas älter als ich. Der Bub war ziemlich klein, ungefähr sechs oder sieben Jahre alt. Die beiden starrten mich an. Ich schaukelte ganz wild. Der Lanzenzaun wackelte. Der Kies knirschte unter dem Tor. Der Bub sagte: »He du, hör auf, du machst doch unser Tor ganz kaputt!«

Ich ließ das Gartentor los, fiel hin, das Tor schlug mir gegen den Schädel.

Der Bub betrachtete mich interessiert. »Hast du dir weh getan?« fragte er.

Ich gab ihm keine Antwort. Ich stand auf und putzte mir den Dreck von den Knien.

Aus dem Auto stieg eine Frau. Sie war hübsch und hatte schöne Kleider an. Dann stieg ein Mann aus dem Auto. Er ging zum Kofferraum und holte zwei Koffer und ein paar Schachteln heraus. Er stellte sie auf den Gehsteig, sagte »Heil Hitler«, stieg ins Auto und fuhr davon.

Die Frau nahm in jede Hand einen Koffer und ging in den Garten. Das Mädchen packte zwei Schachteln und der Bub nahm eine. Sie liefen hinter der Frau her. Auf dem Gehsteig stand noch ein Karton. Ich hob ihn hoch und ging den dreien nach.

Der Bub drehte sich um und fragte mich: »Du, wo sind denn unsere Gartenzwerge?»

Ich gab ihm keine Antwort.

Der Bub rief: »Mama, unsere Gartenzwerge sind weg, alle sind weg!«

Die Frau sagte: »Gerald, reg dich nicht auf. Es ist noch viel mehr weg als ein paar Gartenzwerge!«

Dann lächelte sie mich an. Sie hatte ein lustiges Gesicht.

Ich sagte: »Den Zwergen ist gar nichts passiert. Die sind alle auf der Wiese hinter dem Haus!«

Die Frau war die Schwiegertochter der Frau von Braun. Und die Kinder waren die Enkelkinder der Frau von Braun. Sie hießen Hildegard und Gerald. Eigentlich hätten die drei nach Tirol zu ihrer Großmutter fahren sollen, zur alten Frau von Braun. Aber es fuhr kein Zug mehr. Und das Auto, das sie hätte hinbringen sollen, das gab es auch nicht mehr. Und die junge Frau von Braun hatte auch gar keine Lust, zu ihrer Schwiegermutter zu fahren. Ihr Mann, der Sohn von der alten Braun, war tot. Die junge Frau von Braun hatte eine Wohnung in der Stadt. Doch ins Nebenhaus war eine Bombe gefallen. Die Wohnung hatte keine Fensterscheiben und keine Lampen mehr, und überall in den Möbeln steckten Bombensplitter.

Deshalb hatte die junge Frau von Braun beschlossen, in die Villa der Schwiegermutter zu ziehen.

Die junge Frau von Braun war in Ordnung. Sie verstand auch die Sache mit meinem Vater. Sie sagte, sie hätte ihren Mann auch gerne versteckt. Aber der habe das nicht gewollt. Der habe geglaubt, es gäbe nichts Schöneres und Gescheiteres, als eine Hitleruniform anzuhaben und in ein deutsches Flugzeug zu steigen und auf englische Flugzeuge zu schießen. Und nun sei er tot. Und schuld daran, meinte die Frau von Braun, schuld daran sei der alte Drachen. Damit war die alte Frau von Braun gemeint. Denn die hatte ihrem Sohn nichts Klügeres beigebracht.

Die junge Frau von Braun war also in Ordnung. Die Kinder gefielen mir weniger. Die sagten dauernd: »unser Garten« und »unser Haus« und »unsere Bäume«. Und zu den Onkeln im Onkel-Zimmer sagten sie: »unser Großvater« und »unser Onkel Friedrich«. Sie durften auch die leinenen Schonbezüge von

47

den Sesseln nehmen und die Teppiche aufrollen. Und zu den zwei Lusthäusern im Garten hatten sie die Schlüssel.

Am nächsten Morgen machte ich die Zaunrunde. Am Drahtzaun wartete wieder einmal der Engel mit dem Puppenwagen. Heute hatte er ein besonders prächtiges Samtkleid an und eine fliederfarbene Schleife am Kopf, und die Stoppellokken glänzten frisch gewaschen. Meine Haare waren schon lange nicht mehr gewaschen worden, weil wir keine Seife hatten. Ich machte: »Bääh!«

Da stand plötzlich Gerald neben mir und machte auch »bääh« zum Engel.

Der Engel zupfte an seinen Stoppellocken. Er lächelte und säuselte: »Grüß dich, Gerald! Wo warst du denn so lange! Wohnst du jetzt hier? Mußt du jetzt mit der da«, der Engel zeigte auf mich, »mit der da zusammenwohnen?«

Gerald machte noch einmal: »Bääh!«

Der Engel zeigte weiter auf mich und sagte: »Die da sagt immer, sie hat einen Puppenwagen, aber sie hat gar keinen!«

Gerald rief: »Klar hat sie einen! Ich hab ihn doch gesehen! Er steht im Salon, aber er ist so kostbar, daß wir ihn nicht in den Garten hinausfahren dürfen. Er ist nämlich rundherum mit Diamanten und Perlen besetzt!«

Der Engel starrte uns an und drückte dabei wieder einmal die schwarze Katze in den Puppenwagen.

»Laß die Katze raus!« sagte Gerald.

»Laß die Katze raus!« brüllte ich.

»Ist doch meine Katze«, sagte der Engel.

Dann stand Hildegard neben uns und meine Schwester auch, und plötzlich waren wir über den Drahtzaun geklettert.

Wir warfen den Puppenwagen um und zogen der Katze das Puppenkleid aus. Die Katze kratzte uns. Wahrscheinlich hatten wir ihr weh getan. Aber das Puppenkleid war sehr eng. Es war schwer herunterzubekommen. Endlich war die Katze nackt und sauste davon. Sie hinkte auf einem Bein.

Der Engel stand neben uns. Er heulte und schluchzte: »Pfui, pfui, ihr seid ja so gemein, so gemein seid ihr, das ist doch meine Katze, die gehört mir, das ist doch mein Puppenwagen! Ist mein Puppenwagen!«

Gerald hob den Puppenwagen hoch und schmiß ihn mit aller Kraft in die Ribiselstauden* neben dem Drahtzaun. Die rosa Steppdecke und das rosa Spitzenkissen kugelten aus dem Wagen. Gerald sprang auf die rosa Steppdecke und trampelte darauf herum. Er brüllte: »Ist doch deine Katze! Ist doch dein Puppenwagen! Ist doch deine Steppdecke!«

Der Engel rannte davon, zum Haus.

Wir warfen Tannenzapfen und Steine hinter ihm her und schrien: »Blöde Gurken! Depates Mensch! Lackaff schiacher! Renn, renn zu! Sag's doch der Mama!«

Dann kletterten wir wieder über den Zaun und liefen ins Haus. Wir hatten vor der Engel-Mutter, dem Erzengel, Angst. Wir schlichen ins Onkel-Zimmer. Meine Schwester erklärte den Braun-Kindern das Onkel-Spiel.

Die Enkelkinder der Frau von Braun waren auch in Ordnung.

---

* Ribisel – Johannisbeere

9.

Die Angst des Herrn Forstrat
Die kaputten Fensterscheiben
Der Hirschbraten und das Rehgulasch

Am Nachmittag verließen der Forstrat und die Forsträtin ihre Villa. Doch nicht nur zu einem Spaziergang. Ein Auto war gekommen. Sie luden Koffer und Kisten in das Auto. Sie packten auch Koffer auf das Autodach und banden sie mit Stricken fest. Die Forsträtin schnüffelte in ein Taschentuch. Wir standen beim Gartentor und schauten neugierig zu. Als der Forstrat alle Koffer und Kisten und Kartons verstaut hatte, kam er zu uns. Er sagte zu Gerald: »Bitte, hole deine Frau Mama!«

Gerald rief in den Garten hinein: »Mama, Mama, der Forstrat will was!«

Die Frau von Braun kam. Der Forstrat verneigte sich, sprach: »Frau von Braun, ich komme mich verabschieden!« Er schluckte. »Meine beiden treuen Freunde, die Hunde, habe ich erschossen, ihnen den Gnadenschuß gegeben!« Er zeigte auf das Auto: »Unsere Habe ist gepackt! Das, was wir unbedingt zum Weiterleben brauchen!« Er flüsterte: »Es ist nämlich alles aus! Total aus! Keiner kann sie mehr aufhalten!« Und dann flüsterte er ganz leise: »Ich habe die sichere Information, daß die Russen bereits in Purkersdorf sind!« Der Forstrat reichte der Frau von Braun die Hand. Er rief: »Gnädigste, fliehen Sie mit Ihren Kindern. Die Russen sind furchtbar!«

»Alles ist furchtbar, lieber Herr Forstrat«, sagte die Frau von Braun.

Der Forstrat schüttelte den Kopf, ging zum Auto zurück. Das Auto fuhr ab. Die Forsträtin winkte schluchzend.

Wir konnten in das Haus gegenüber einsteigen!

Gerald und Hildegard liefen zuerst über die Straße, kletterten über den Zaun. Weit und breit war niemand zu sehen. Ich lief über die Straße. Ich blieb am Zaun hängen. Zerriß mir das geblümte Steppdeckenkleid, fiel hinter dem Zaun in die Ribiselstauden, kroch auf allen vieren zu Hildegard und Gerald.

Wir warteten auf meine Schwester. Meine Schwester stand noch immer bei unserem Gartentor. Der alte Wawra redete mit ihr. Endlich ging der Wawra in seinen Garten. Meine Schwester galoppierte über die Straße, sprang über den Zaun, plumpste zu uns herunter.

»Der Wawra hat mir einen Apfel geschenkt«, sagte sie. Sie holte den Apfel aus der Rocktasche und biß hinein. Dann gab sie ihn mir. Ich biß auch ein Stück ab und gab ihn an Gerald weiter.

So fraßen wir zu viert den Apfel auf und gaben dabei genau acht, daß nur ja keiner einen zu großen Bissen nahm, dann krochen wir zum Kellerfenster.

Das Kellerfenster war offen. Aber es war zu klein zum Hineinkriechen. Außerdem ging es vom Kellerfenster mindestens drei Meter tief in den Keller hinunter.

Wir krochen um das Haus herum zur Hinterseite. Dort war eine Glasveranda. Wir kletterten auf den Birnbaum neben der Glasveranda und stiegen auf das Verandadach. Vom Verandadach konnte man auf einen Balkon springen, wenn man geschickt war. Gerald sprang auf den Balkon, doch die Balkontür war auch versperrt. Gerald schaute durch die Glas-

51

scheiben der Tür. »Innen an der Tür steckt der Schlüssel«, sagte er.

Am Balkon stand ein Blumentopf mit einer verwelkten Blumenstaude. Gerald nahm ihn in die Hand.

»Er will die Scheiben einschlagen«, stellte meine Schwester fest. Hildegard rief: »Nein, nein, Gerald, das darf man nicht!«

Meine Schwester erklärte: »In Wien, drinnen in der Stadt, sind alle Fensterscheiben zerschlagen.«

Ich nickte. Gerald hob den Blumentopf und warf ihn auf die Glasscheibe. Das Glas zersprang, der Blumentopf fiel ins Zimmer. Gerald griff vorsichtig durch das Loch in der Scheibe, sperrte die Tür auf und verschwand im Haus.

Wir warteten. Das Verandadach knackte und krachte unter uns. Gerald tauchte beim Fenster über der Glasveranda auf, grinste, winkte, öffnete das Fenster. Wir kletterten durch das Fenster ins Haus hinein.

Im Haus war es kalt. Es roch nach verfaulten Kartoffeln. Wir gingen durch die Zimmer und waren enttäuscht. Da war auch ein Onkel-Zimmer mit einem Klavier. Ein paar Tanten hingen zwischen den Onkeln. Ein Bücherzimmer gab es auch. Und im Salon waren keine Leinenüberzüge auf den Sesseln. Wir stiegen die Treppen ins Parterre hinunter. Da war die Küche. Auf dem Küchentisch lag ein verschimmelter Laib Brot.

»Gehn wir lieber wieder nach Haus, hier ist nichts«, sagte meine Schwester.

In der Küche stand ein großer, sehr breiter Schrank. Hildegard machte den Schrank auf. Wir standen starr vor dem Schrank und glotzten hinein. So etwas hatten wir überhaupt

noch nicht gesehen. Da standen Einsiedegläser mit Kirsch-
kompott und Marillenkompott und Gläser, in denen schim-
merte es hellbraun und dunkelbraun. Auf den geblümten
Etiketten stand:

Hirschbraten – Gärtnerinnenart, 1944 und *Rehragout –
Esterhazy, 1943* und *Landleberstreichwurst (Gänseleberein-
lage).* Und Gläser mit Fisolen waren da und Gläser mit Para-
deisern*.

»Menschenskind«, flüsterte Hildegard, »Menschenskind!«

»Die haben gelebt!« murmelte ich.

Auf dem Küchentisch lag eine große karierte Tischdecke.
Hildegard warf den verschimmelten Brotlaib vom Tisch. Ich
zog die Tischdecke vom Tisch. Wir legten die Tischdecke auf
den Boden und räumten Einsiedegläser darauf, so viele nur
drauf gingen. Dann verknoteten wir die Tischtuchzipfel. Das
Bündel war schwer. Doch meine Schwester und Hildegard
zusammen konnten es gerade noch schleppen. Gerald fand
eine alte Einkaufstasche. Er füllte sie bis oben mit Leber-
streichwurstgläsern. »Kinder, Kinder«, stöhnte er, »Leberwurst, Leberwurst, hoffentlich ist kein Majoran dran. Ohne
Majoran hab ich sie noch lieber!«

Ich holte mir eine Quasteldecke aus dem Speisezimmer,
stapelte Hirsch und Reh darauf, verknotete die Enden der
Decke. Wir stiegen durchs Küchenfenster, hoben mühsam,
sehr mühsam unsere Beute aus dem Fenster und zogen das
Küchenfenster zu.

Es war unmöglich, mit unseren Bündeln über den Gartenzaun zu kommen.

---

* Fisolen – Gartenbohnen. Paradeiser – Tomaten

»Lassen wir das Zeug halt hier«, sagte Hildegard verzagt, »es gehört ja sowieso nicht uns!«

»Meine Leberwurst soll ich hierlassen? Bist du blöd geworden?« Gerald tippte sich an die Stirn.

Ich schlich zur Gartentür. Auf der Außenseite hatte die Gartentür einen runden Messingknauf. Auf der Innenseite hatte sie eine Klinke aus Eisen. Ich drückte auf die Klinke. Die Tür ging auf.

»Mehr Glück als Verstand nennt man so was«, flüsterte meine Schwester.

Ich schaute vorsichtig die Straße hinauf und hinunter. Niemand war in der Nähe. »Los!« rief ich.

Und dann rannten wir über die Straße. Schleppten die Riesenbündel hinter uns her. Die Gläser schlugen aneinander. Die Gläser klirrten.

Wir hatten unseren Garten erreicht, schmissen das Tor hinter uns zu, zogen den Pack über den Kiesweg, keuchten die vier Stufen zur Haustür hoch. Unsere Arme zitterten. Wir hatten noch nie etwas so Schweres geschleppt.

Meine Mutter stand mit der Frau von Braun hinter der Haustür.

»Wo wart ihr denn so lange?« fragte meine Mutter.

»Was habt ihr denn da?« fragte die Frau von Braun.

Wir zogen unsere Beute ins Vorhaus. Knoteten die Deckenzipfel auf. Gerald kippte die Einkaufstasche. Die Leberwurstgläser rollten über den Boden.

Es blieb wohl nichts anderes übrig, als die Wahrheit zu sagen. Also sagte ich: »Das haben wir gestohlen.«

Meine Mutter und die Frau von Braun starrten mich an. Mir wurde unbehaglich. Ich bekam Angst um meine Einsiedegläser. Die würden doch nicht vielleicht sagen, daß wir alles wieder zurücktragen sollten?

»In den kleinen Gläsern ist Leberwurst drin«, rief Gerald, »lauter Leberwurst mit Gänseleberstücken!«

Meine Mutter und die Frau von Braun hörten auf, mich anzustarren. Jetzt starrten sie auf die Einsiedegläser. Und dann knieten sie sich auf den Boden und nahmen die Gläser in die Hände. Eines nach dem anderen.

»Hirschbraten – Gärtnerinnenart, 1944«, sagte meine Mutter.

»Leberwurst mit Zunge, Leberwurst mit Speck«, flüsterte die Frau von Braun.

Hildegard zeigte zur Straßenseite. Sie sagte: »Wir haben es aus dem Leinfellner-Haus geholt, aus dem Küchenschrank. Die Leinfellner sind ja weg!«

Da begann die Frau von Braun zu lachen, und meine Mutter lachte mit, und dabei kugelten ihnen Tränen über die Wangen.

»Leberwurst mit Zunge, Herr Leinfellner, Heil Hitler, Herr Leinfellner«, rief die Frau von Braun. Sie hob ein Hirschbratenglas hoch und sagte: »Durchhalten müssen wir bis zum Endsieg, hat er immer gesagt, der Herr Leinfellner! Ja, ja, beim Hirschbraten läßt sich gut durchhalten, Herr Leinfellner!«

Meine Mutter kniete auf der Quasteldecke. Sie hatte zu lachen aufgehört. Sie betrachtete ein Zwei-Liter-Einsiedeglas mit Rindsschnitzel. »Schnitzel in Madeira-Soße, Jahrgang 1944«, sagte sie. Sie schüttelte den Kopf. »Und wir haben Erdäpfel gefressen, Erdäpfel und nichts als Erdäpfel!«

10.
Die Uniform • Die SS-Männer
Die gestohlenen Zigaretten

Zu Mittag marschierten deutsche Soldaten durch die Straße am Garten vorbei. Sie kamen aus dem Wienerwald. Sie marschierten in Richtung Stadt. Hinterher fuhren ein paar Wehrmachtsautos.

Ich stand mit Hildegard am Lanzenzaun. Wir warteten, ob noch Autos, ob noch Soldaten kämen. Es kamen keine mehr.

Der Herr Wawra lehnte ein paar Schritte weiter an seinem Gartentor. Er sagte: »Kinder, das waren die letzten! Jetzt sind alle weg! Jetzt ist der verdammte Krieg aber aus!«

Hildegard rief: »Im Radio hat einer gesagt, wir werden Wien verteidigen, bis zum letzten Atemzug. Bis zum letzten Atemzug, Herr Wawra!« Der alte Wawra war stur. Er schüttelte den Kopf. »Sind doch alle weg, alle weg«, sagte er immer wieder.

Meine Mutter sagte zu meinem Vater: »Es ist Zeit, daß wir deine Uniform verbrennen und das Soldbuch. Die Russen dürfen das Zeug nicht finden!«

Mein Vater humpelte im Salon auf und ab. Hin und her. Er versuchte immer wieder, im Radio Nachrichten zu hören. Das Radio krachte und pfiff. Das Radio war uralt. War das Radio kaputt? Oder gab es keine Rundfunkstation mehr? Wir wußten es nicht.

Mein Vater wollte seine Uniform nicht verbrennen. Er sagte: »Wenn die Deutschen zurückkommen und mich finden, und ich habe kein Soldbuch mehr und keine Uniform, dann hängen sie mich doch gleich an den nächsten Baum!«

»Wenn die Deutschen noch einmal kommen und dich finden, dann hängen sie dich sowieso auf«, sagte meine Mutter, »mit oder ohne Soldbuch, das ist ihnen dann Wurscht!«

Aber die Uniform verbrannte sie nicht.

Ich schaute aus dem Fenster. Vor unserem Gartentor stand ein Auto. Vier Männer in SS-Uniform kamen über den Kiesweg auf das Haus zu.

Mein Vater ging ins Bücherzimmer. Er ging langsam. So, als ob er keine Angst hätte. Die Frau von Braun schloß die Tür hinter ihm ab. Sie lehnte sich an die Tür, flüsterte zu meiner Mutter: »Vielleicht hat ihn jemand angezeigt, der Erzengel oder der Herr Wawra?« Ich wollte sagen, daß der Herr Wawra auf gar keinen Fall meinen Vater angezeigt hatte, da klopfte es an der Haustür. Meine Mutter zog den Schlüssel von der Bücherzimmertür und steckte ihn in ihre Schürzentasche. Dann ging sie die Haustür öffnen.

Die Frau von Braun zischte uns zu: »Ihr haltet den Mund! Was sie auch sagen und was sie auch fragen, ihr haltet den Mund, verstanden?« Wir nickten.

Die SS-Soldaten waren nicht gekommen, um meinen Vater zu holen. Sie kamen mit einer Blechdose voll Butterschmalz und einem Sack voll Kartoffeln. Sie baten meine Mutter, ihnen Bratkartoffeln zu machen. Sie holten sogar Holz aus dem Schuppen, damit meine Mutter im Herd Feuer machen konnte. Die Frau von Braun zischelte wieder: »Mundhalten! Verstanden!«

Die vier SSler saßen beim Küchentisch. Meine Mutter briet einen Riesenberg Kartoffeln. Das Butterschmalz schäumte in der Pfanne. Schäumte über. Tropfte auf die heiße Herdplatte. Stank entsetzlich. Die SSler aßen und erzählten. Erzählten, daß Wien nun doch nicht verteidigt werde.

»Wien ist sozusagen schon gefallen«, erklärte der eine.

Der andere sagte, er sei aus Schlesien. Dort seien die Russen schon lange. Und bevor die Russen gekommen waren, da hatte seine Frau an jede Hand ein Kind genommen und war über alle Berge. Er sagte, wir werden schon sehen, was uns blüht, wenn wir hierbleiben. Er machte uns sogar das Angebot, uns in die Stadt mitzunehmen, damit wir in einem der großen Bunker Unterschlupf finden können. Meine Mutter lehnte ab.

Zwischen den Ratschlägen versuchten die SS-Männer, sich mit uns Kindern zu unterhalten. Sie fragten uns nach unserem Namen und wie alt wir sind und noch eine Menge mehr. Sie hielten uns für besonders blöde Kinder. Wir saßen nämlich dicht beieinander am Tisch, fraßen die übriggebliebenen Kartoffeln und gaben keine Antwort. Sprachen kein Wort. Glotzten nur. Starrten auf das Wachstischtuch, starrten auf die SS-Männer.

»Total verschreckt!« sagte der eine.

»Völlig kaputt!« sagte der andere.

»Da sind meine Rabauken schon 'ne ganz andere Sorte«, sagte der mit der Frau, die über alle Berge war. »Meine Rabauken, die kann keiner, die sind nicht unterzukriegen!« Er war sehr stolz.

»Na, Mädchen, sag doch was«, lockte einer und strich mir über die Haare.

Erstens war es mir verboten zu reden. Und zweitens begann mir die Sache Spaß zu machen! Ich glotzte den SSler stur an.

Die Frau von Braun versuchte, ihr Redeverbot aufzuheben. »Aber Kind, sag doch dem Herrn, wie du heißt, du kannst doch dem Herrn ruhig sagen . . .«

Da konnte sie lange warten! Ich sagte es nicht. Glotzte. Meine Schwester glotzte auch. Hildegard glotzte. Gerald glotzte.

Den SS-Männern wurde unser Anblick ungemütlich. Sie fühlten sich nicht wohl. Sie beschlossen aufzubrechen. Sie mußten heute noch bis nach Salzburg. Und sie wußten nicht, auf welchen Straßen man noch fahren konnte, welche Brücken noch nicht gesprengt waren. Sie schlüpften in die Mäntel. Sie hakten die Ledergürtel zu. Sie verabschiedeten sich von der Frau von Braun und von meiner Mutter. »Na, Kinder, grüßt schön«, sagte meine Mutter zu uns.

Wir blieben sitzen, stopften Kartoffeln in den Mund. Ich versuchte zu schielen. Der mit der Frau über alle Berge schaute uns traurig an. Dann gingen sie. Wir liefen zum Fenster, drückten die Nasen an die Scheiben.

Die SS-Männer stiegen ins Auto.

Ich holte den Bücherzimmerschlüssel aus der Schürzentasche meiner Mutter und lief ins Bücherzimmer zu meinem Vater. Ich griff in die Rocktasche und in den Halsausschnitt des Steppdeckenkleides. Holte zwei Schachteln Zigaretten heraus, eine ganz volle und eine halb volle.

Man kann nämlich oben glotzen und unten Zigaretten vom Tisch stehlen. Ich war stolz auf mich. Hildegard und Gerald bewunderten mich auch, aber meine Schwester sagte: »Das war gemein von dir! Man stiehlt nicht!«

»Wieso denn?« erkundigte ich mich. »Die Einsiedegläser mit den Hirschen hast du ja auch mit gestohlen!«

»Das war nicht richtig gestohlen«, behauptete meine Schwester, »weil die Leinfellner ja gar nicht mehr hier sind, die sind ja geflohen! Aber die Soldaten, die haben dir Bratkartoffeln geschenkt und waren freundlich zu uns, und da ist es gemein, wenn man ihnen was stiehlt!« Sie schaute meinen Vater an. »Das ist doch gemein, Vati, oder?«

Mein Vater lag auf dem Teppich. Zigarettenrauch kräuselte aus seiner Nase, schwebte durch das Zimmer. Mein Vater grinste. »Natürlich ist das gemein, liebe Tochter!« sagte er.

»Na, da siehst du es!« Meine Schwester bohrte mir ihren Zeigefinger in den Bauch. »Der Vati sagt auch, daß das sehr gemein ist!«

Mein Vater zog an der Zigarette. Zog tief. Er hatte schon lange keine ordentliche Zigarette gehabt. Seit Tagen rauchte er selbstgedrehte Zigaretten. Den Tabak dazu hatte meine Mutter vom Herrn Zimmer, einem Nachbarn, bekommen – eingetauscht gegen eine der geschenkten Männerhosen. Der Tabak vom Herrn Zimmer war feucht und zog schlecht.

Mein Vater murmelte: »Es ist gemein, Zigaretten zu stehlen. Es ist sehr gemein, gestohlene Zigaretten zu rauchen. Aber es ist noch gemeiner, Zigaretten zu besitzen, wenn andere Leute keine mehr haben!«

»Na, da siehst du es!« sagte ich zu meiner Schwester und bohrte ihr meinen Zeigefinger in den Bauch.

Mein Vater bat mich, die Haarklammer vom Schreibtisch zu holen. Die brauchte er, weil er keine Zigarettenspitze hatte. Ich brachte die Haarklammer. Er klemmte den kurzen, glühenden Zigarettenstummel in die Haarklammer. So konnte er die Zigarette bis auf ein winziges Endchen aufrauchen, ohne sich dabei die Finger zu verbrennen.

Dann rief uns meine Mutter zum Nachtmahl. Sie sagte: »Jetzt feiern wir den Abzug der letzten SS aus Wien!«

Es gab Bratkartoffeln und Hirsch nach Gärtnerinnenart und Marillenkompott.

11.

Die Stalinorgel • Völkischer Beobachter
Die Mäuse • Die Puppe ohne Kopf

Nach dem Feiertagsnachtmahl schleppten meine Mutter und die Frau von Braun Matratzen und Decken und Polster in den Keller. Mein Vater trug die Gläser mit den Hirschen und Rehen und Marillen hinterher. Er stapelte sie hinter der Kellerstiege auf. Auch unsere kümmerlichen Kleider und Wäschefetzen trugen sie in den Keller. Sie hatten beschlossen, daß wir diese Nacht im Keller schlafen sollten.

Ich war dagegen. Ich wollte nicht in den Keller, auf gar keinen Fall. Das war kein sicherer Keller, es war ein lächerlicher Keller. Er war unter der runden und unter der viereckigen Terrasse. Das war ein Kartoffel-Karotten-Keller und kein Kriegskeller. So einen Keller haut schon eine viertel Bombe kaputt. Außerdem hatte ich von Kellern genug, auch von den sicheren. Ich war schon viel zu oft und viel zu lange in Kellern gewesen. Keller stinken. Keller sind kalt. Keller sind scheußlich. »Nein!« schrie ich. »Geht nur, geht nur in das saublöde Kellerloch, ich bleibe oben!«

Es nutzte mir nichts. Ich mußte in den Keller. Meine Mutter

versuchte, mich zu beruhigen. Sie sagte: »Schau, reg dich nicht auf. Es geht doch jetzt gar nicht um Bomben. Bomben schmeißen sie wahrscheinlich keine herunter. Aber vielleicht schießen die Russen heute nacht.«

»Womit werden sie denn schießen?« fragte meine Schwester.

»Mit Kanonen oder Maschinengewehren, was weiß denn ich, mit was die schießen!« Meine Mutter zuckte mit den Schultern.

Gerald rief: »Vielleicht haben sie sogar eine Stalinorgel mitgeschleppt!«

»Gott soll uns davor bewahren, mal den Teufel nicht an die Wand«, sagte meine Mutter.

Die Stalinorgel war nämlich das Schrecklichste. Sie war unvorstellbar. Ganz genau wußte niemand, wie das Ding aussah. Angeblich war es eine Riesenkanone. Mit mehr als hundert Kanonenrohren vorn dran. Aus denen kamen fürchterliche Kugeln. Kugeln, angeblich gefüllt mit Nägeln und Eisenstücken und rostigem Draht. Kugeln, die alles klein schossen und zerfetzten und verbrannten.

Sie schickten uns also in den Keller. Die Matratzen waren hart. Vom Erdboden kam es feucht und kalt durch die Matratzen. Die Decken waren dünn, kratzten, fühlten sich auch bald feucht und kalt an.

Der Keller war mit Zeitungen, mit »Völkischen Beobachtern«*, tapeziert. Genauso wie unser Keller in Hernals. Und es roch auch genauso.

Die Kellertür hatten sie offengelassen, und auf die Keller-

* »Völkischer Beobachter« – Tageszeitung der NSDAP seit 1923

stiege hatten sie eine brennende Kerze gestellt. Die Kerze flackerte, warf zuckende Schatten auf das Kellergewölbe. Das Licht zitterte über die »Völkischen Beobachter«, und ich versuchte, das Zeitungsblatt über meinem Kopf zu lesen. Doch die Buchstaben waren zu klein. Außerdem waren die Seiten verkehrt aufgeklebt.

Neben mir lag meine Schwester. Sie schlief. Sie schnarchte. Sie hatte Polypen in der Nase. Ich haßte dieses Polypenschnarchen, seit ich denken konnte und manchmal in der Nacht wach lag.

Ich richtete mich auf, schaute auf Gerald. Gerald schlief, den Daumen im Mund. Seine Decke lag neben ihm auf dem Boden. Ich schaute zu Hildegard. Hildegard lag neben mir im Kellerwinkel. Ich konnte ihr Gesicht nicht sehen. So weit reichte das Licht der Kerze nicht. »Schläfst du, Hildegard?« fragte ich.

»Ich fürchte mich!« flüsterte Hildegard.

»Vor den Russen?«

»Vor den Mäusen.«

»Sind hier Mäuse?«

»Weiß ich nicht«, sagte Hildegard, »vor ein paar Jahren, als wir im Sommer hier gewohnt haben, waren sehr viele Mäuse da. Wir haben Fallen aufgestellt. Aber gefangen haben wir keine einzige Maus.«

Ich stand auf und holte die Kerze von der Kellerstiege. Ich stellte sie zwischen unsere Matratzen. Jetzt konnte ich Hildegards Gesicht sehen und eine Hand von ihr. Sie hielt ein sonderbares rosa Ding in der Hand.

»Was hast du da?« fragte ich.

»Das halte ich immer in der Hand, wenn ich einschlafe«,

sagte Hildegard. Sie reichte mir das rosa Ding herüber. Es war ein kleiner Puppenkörper aus rosa Flanell. Als Nabel war ein roter Punkt gestickt.

»Der Kopf ist weg«, sagte ich.

»Ist nicht weg. War nie dran«, flüsterte Hildegard.

Ich betrachtete den rosa Puppenkörper. Das eine Bein war länger und dicker als das andere. Die Arme standen wegweisersteif vom viereckigen Körper ab.

»Ist der selbstgemacht?« erkundigte ich mich.

Hildegard nickte. »Meine Mutti hat ihn gemacht. Weil der Puppenkopf am schwersten zu machen geht, hat sie ihn zum Schluß machen wollen. Aber da ist dann gerade das Telegramm gekommen, daß mein Vati mit dem Flugzeug abgestürzt und tot ist. Da hat sie nicht mehr weiter an der Puppe gearbeitet.«

Ich gab Hildegard das rosa Ding zurück. »Oben im Kasten vom Gaszähler«, sagte ich, »da liegt eine alte zerfetzte rosa Unterhose. Wir könnten ihr morgen einen Kopf daraus machen. Mit Knopfaugen, und von dem Schultertuch, das meine Mama aufgeribbelt hat, sind noch die Fransen da. Die nehmen wir als Haare, die schauen wie richtige Locken aus!«

Hildegard schüttelte den Kopf. »Nein«, erklärte sie, »der bleibt, wie er ist!«

Ich nahm meine Decke und mein Kissen und legte mich zu Hildegard auf die Matratze.

So hatten wir es wärmer.

»Ich habe solche Angst vor den Mäusen«, sagte Hildegard.

»Ich habe einmal furchtbare Angst vor einem Riß in der Decke gehabt«, gab ich zur Antwort.

»Da ist aber kein Riß in der Decke«, murmelte Hildegard.

»Und die Mäuse sind längst verhungert«, sagte ich und blies die Kerze aus.

Meine Mutter kam zur Kellertür. Sie stieg ein paar Stufen herunter. Sie versuchte, leise zu sein, aber die Kellerstufen knarrten. Sie sagte leise zu sich selber: »Na, alle schlafen, alle schlafen.« Dann stieg sie wieder die Stufen hinauf. Die Kellertür schloß sie hinter sich.

»Die sind gut«, sagte ich zu Hildegard, »uns schicken sie in das finstere, kalte Loch hinunter, und sie selber bleiben oben im warmen Bett. Das ist eine Gemeinheit!«

»Aber nein, sie wollen nur, daß uns nichts geschieht«, flüsterte Hildegard.

Ich richtete mich noch einmal auf, wickelte mir die Decke um den Leib, richtete auch Hildegards Decke schön ordentlich, sagte: »Stell dir einmal vor, sie werden oben von den Russen totgeschossen, und wir bleiben übrig!«

»Sei still, sei sofort still«, sagte Hildegard, »ich schlafe schon!«

12.
Kuchen • Die Zwergschule
Der Mann mit der braunen Ledermütze

Als ich aufwachte, fiel Licht durch das Kellerfenster und zeichnete ein schwarzes Gittermuster auf meine Wolldecke. Ich war allein im Keller. Ich sprang auf, lief die Kellerstiege hinauf, rannte zur Küche. Horchte im Laufen, ob ein fremdes Geräusch da war. Waren da Schritte? Redete jemand ausländisch? Schoß jemand? Waren da die Russen?

Russen waren keine da. Mein Großvater war da. Er saß mit den anderen in der Küche. Er hatte einen Kuchen mitgebracht, einen richtigen Kuchen aus Biskuitteig mit Rosinen und Schokoladeglasur. Der Großvater hatte dem Zuckerbäkker Huber seine goldene Taschenuhr gegeben. Dafür hatte der Zuckerbäcker dem Großvater den Kuchen gegeben. Vom Kuchen waren nur mehr drei Stücke übrig. Die gehörten mir. Die anderen hatten ihren Kuchen schon gegessen. Ich mampfte den Kuchen. Schlang. Würgte. Wollte mit dem Kuchen fertig sein, bevor meine Schwester sagen konnte: Bitte, schenk mir noch ein Stück!

Der Großvater glaubte uns nicht, daß die Russen jeden Augenblick kommen konnten. »Ach was«, sagte er lachend, »jeden Tag heißt's doch, sie kommen schon, und da sind sie noch immer nicht!«

Der Großvater hatte nicht nur den Kuchen gebracht. Er hatte auch noch andere Sachen mit. Sachen aus den Schutthaufen. Er grub ja den ganzen Tag im Schutt. Er hatte nichts Besseres zu tun.

Meine Mutter sagte: »Großvater, laß doch die Schuttgraberei bleiben! Es ist zu gefährlich. Das Zeug kann einstürzen.«

Der Großvater nickte und murmelte: »Ja, ja, das Zeug kann einstürzen.« Es schien ihm aber ziemlich gleichgültig zu sein, ob das Zeug einstürzte.

Ich ging mit Hildegard und Gerald auf die Wiese hinter das Haus. Wir schleppten uns mit den Gartenzwergen ab. Stellten sie in Zweierreihen auf. Spielten Schule mit ihnen. Der mit dem Schleifstein war der Blöde in der Klasse. Hildegard war die Lehrerin. Ich übernahm die Stimmen sämtlicher Zwergschüler. Meine Lieblingsrolle war der Blöde mit dem Schleifstein. Hildegard schimpfte. »Du ungezogenes Kind, du, sofort gibst du das Messer her! Ein Messer hat in der Klasse nichts zu suchen!«

Ich antwortete mit Schleifstein-Zwergen-Stimme: »Sie sind blöd, Frau Lehrerin!«

Hildegard wollte eine liebe Lehrerin sein. Sie versuchte, dem Schleifstein-Zwerg gut zuzureden. Ich war dagegen. Ich wollte die Lehrerin böse haben. Sonst war das Spiel zu langweilig.

Gerald spielte nicht mehr mit. Wir hatten ihn als Schulwart eingeteilt, und das gefiel ihm nicht. Er ging zwischen den Gartenzwergen herum und gab ihnen Tritte, warf sie um. Die Nase von einem brach ab. Schneeweißer Gips bröckelte auf die Wiese. Gerald schimpfte und fluchte: »Ich pfeif euch was! Dauernd soll ich der Schulwart sein oder die Hausmeisterin oder das Baby. Ich pfeif euch was, ihr Idioten!« Dann lief er zum Gartenzaun vom Engel, schaute nach dem Engel aus.

Ich stellte die Gartenzwerge wieder auf. Hildegard sammelte die abgeschlagenen Nasenstücke ein. Wir versuchten sie zu einer Nase zusammenzusetzen. Es ging nicht. Zu viel Gips war zerbröckelt. Auf einmal dröhnte es in der Luft. Laut und gefährlich. So wie wir es noch nie gehört hatten, und über den Tannenbäumen beim Wawra-Zaun tauchte ein Flugzeug auf. War plötzlich riesengroß und sehr weit unten. War über uns, war überall, warf einen schrecklich großen Schatten auf die Wiese. Wir standen ganz still.

Jetzt war das Flugzeug über dem Dach vom Erzengel, zog eine Schleife. Kam zurück, flog ganz tief. Stand schief in der Luft. Es war kein großes Flugzeug.

Ich konnte in das Flugzeug hineinsehen. Im Flugzeug saß ein Mann. Nur ein einziger Mann. Er hatte eine braune Ledermütze auf dem Kopf. Das Flugzeug flog zum Wawra-Garten. Kam wieder. Noch tiefer. Noch lauter.

Ich dachte: Im Flugzeug sitzt ein Mann mit einer braunen Ledermütze. Im Flugzeug sitzt ein Mann mit einer braunen Ledermütze. Immer wieder: Im Flugzeug sitzt ein Mann mit einer braunen Ledermütze.

Das dachte ich gegen meine Angst. Es war gut, daran zu denken. Ich hatte vor Flugzeugen Angst. Aber vor Männern mit braunen Ledermützen hatte ich keine Angst. Männer mit braunen Ledermützen hatten mir noch nie etwas getan.

Ich sah Gerald vom Erzengel-Zaun zum Haus laufen. Er lief geduckt. Ich sah, wie Hildegard zum Haus lief. Sie stolperte über einen Gartenzwerg und fiel fast hin.

Ich lief nicht. Ich blieb stehen.

Das Flugzeug kam wieder. Sein Schatten war schon vor ihm bei mir. Die Luft zischte, wenn das Flugzeug vorbeisauste. Unten hatte das Flugzeug Räder.

Angeblich haben alle am Küchenfenster gestanden und gebrüllt, ich soll sofort ins Haus laufen. Ich habe nichts davon gehört. Wahrscheinlich war das Flugzeug zu laut. Dann kam mein Vater aus dem Haus. Lief, humpelte auf mich zu, packte mich am Arm, riß mich hinter sich her ins Haus hinein. Ich stolperte ins Vorhaus.

Mein Vater schlug die Haustür zu. Er schrie: »Bist du denn übergeschnappt! Was stehst du denn da draußen wie eine Blöde herum! Willst du dich totschießen lassen?«

Ich sagte: »Im Flugzeug war ein Mann mit einer braunen Ledermütze!«

Sie verstanden mich nicht. Sie brüllten alle auf mich los: daß in jedem Flugzeug Männer sitzen. Die, die schießen, und die, die Bomben schmeißen. Und hinter jeder Kanone, wo vorn eine Kugel herauskommt, steht ein Mann. Und ob die Männer braune Ledermützen oder grüne Kappen aufhaben, das sei ganz gleich, schrien sie.

Ich sagte nichts mehr. Weil sie so wütend und wild waren. Sogar der Großvater. Aber ich wußte genau, daß sie unrecht hatten.

13.

Der Held · Die Bohnen-Nudel-Schätze
Das Scheißwagerl

Ich setzte mich zum Küchenfenster und tat, als schaute ich in
den Garten. Hörte, was der Großvater und der Vater und die
Frau von Braun sagten. Meine Mutter redete nicht mit. Sie saß
beim großen Herd und schneuzte sich in einem fort und weinte
ein bißchen.

Der Großvater knöpfte seinen Mantel zu, setzte seinen Hut
auf, sagte: »Es soll schon vorgekommen sein, daß einer aus
Angst zum Helden wird. Ich jedenfalls, ich muß zur Juli gehen!«

Der Großvater war ratlos, wußte nicht, was er tun sollte.
Der Mann mit der braunen Ledermütze hatte nun auch ihn
überzeugt, daß die Russen jeden Augenblick kommen konnten.

»Du kannst jetzt nicht mehr weggehen«, sagte mein Vater,
»du mußt hierbleiben, sonst knallen sie dich ab!«

Der Großvater hatte vor dem Heimweg Angst. Er wäre gern
dageblieben, doch die Angst vor der Juli war größer. Er erklärte: »Ich kann die Juli nicht allein lassen!«

Mein Vater wurde zornig. »Verdammt noch einmal«, brüllte
er, »deine Juli hat einen Schmarrn davon, wenn du in einer
Stunde tot bist!«

»Herr Göth, es ist ein Irrsinn, jetzt zwei Stunden durch die
Gegend zu marschieren!« Und: »Herr Göth, Sie sind doch kein
Held!«

Der Großvater knöpfte seinen Mantel zu, setzte seinen Hut

auf, sagte: »Es soll schon vorgekommen sein, daß einer aus lauter Angst zum Helden wird. Ich jedenfalls, ich muß jetzt zur Juli gehn!«

Der Großvater ging fort. Ich schaute ihm durch das Küchenfenster nach. Sah ihn das Gartentor schließen. Sah ihn hinter den Eisenlanzen verschwinden.

Ich dachte: Jetzt ist der Großvater beim Tor vom Erzengel. Jetzt ist er bei der Atariastraße. Jetzt ist er beim Parteihaus. Jetzt ist er bei der Endstation von der Straßenbahnlinie dreiundvierzig. Jetzt ist er bei den Bombenlöchern auf der Alszeile.

Ich wußte, daß der Großvater nicht so schnell laufen konnte, wie ich denken konnte. Also begann ich noch einmal: Jetzt ist er beim Tor vom Erzengel. Fünf Schritte bis zum gelben Haus.

Dreißig Schritte den Zaun entlang. Eins, zwei, drei...

Schneller, Großvater, schneller!

Jetzt kommt die Glasveranda vom alten Wirtshaus!

Großvater, renn! Bitte, renn!

Ich hörte ein Flugzeug brummen. Nicht sehr nahe. Ziemlich weit weg.

Der Großvater mußte auch schon ziemlich weit weg sein. Ich hoffte, daß in dem Flugzeug mein Mann mit der braunen Ledermütze saß.

Engels Mutter, der Erzengel, kam und meldete, man müsse die Kinder ins Haus sperren, weil Tiefflieger über die Gärten sausten. Über ihrem Garten, da sei einer gewesen, furchtbar, entsetzlich, wir könnten uns gar nicht vorstellen, wie entsetzlich.

Geschenkt! Erzengel, geschenkt! Red nicht weiter! Das

war mein Flieger. Ich kenne ihn besser. Halt den Mund, Erzengel!

Der Erzengel hält nicht den Mund. Meine Mutter hört mit dem Schneuzen auf, erzählt, was mit mir und dem Flieger war.

Mutter, halt doch auch den Mund, bitte schön! Der Großvater ist unterwegs, und der Weg ist lang, Mutter! Ich weiß nicht, ob er noch auf der Alszeile ist oder ob er schon auf der Hernalser Hauptstraße ist. Das ist doch wichtig.

In der Hernalser Hauptstraße stehen große Häuser. Da kann er die Hauswand entlanggehen; vielleicht gibt es doch Flugzeuge, wo einer drin sitzt, der Lust zum Schießen hat.

Meine Mutter hörte zu erzählen auf. Nicht weil ich es mir wünschte, sondern weil der Erzengel nun aufgeregt in der Küche herumflatterte und Aufsehenerregendes mitzuteilen hatte: »...außerdem muß ich noch melden, daß das Lebensmittellager im NSV-Heim offen ist! Die Leute haben das Tor aufgebrochen, eingetreten. Sie sind wie die Wilden. Holen Sachen heraus. Plündern. Ganz furchtbar. Es ist abstoßend. Es ist unerhört. Es ist...« Der Erzengel kam nicht dazu, seine Empörung weiter auszudrücken.

»Wo ist das NSV-Heim?« fragte meine Mutter.

»Unten bei der Atariastraße, das zweite Haus linker Hand!« sagte die Frau von Braun und schlüpfte in den Mantel.

»Die Kinder kommen mit uns!« entschied meine Mutter.

»Westen anziehen!« rief mein Vater.

Der Erzengel machte runde Augen. Riß den Mund auf. »Wohin gehen Sie denn? Was wollen Sie denn?« Der Erzengel starrte uns an. »Sie werden doch nicht auch?«

»Natürlich werden wir!« sagte meine Mutter.

»Sie wollen tatsächlich?« fragte der Erzengel ungläubig.

»Wir gehen plündern!« rief mein Vater. »Verstehen Sie, werte Dame? Plün-dern!«

Der Erzengel hörte zu starren auf, flatterte aufgeregt, rief: »Warten Sie, warten Sie doch! Ich komme mit!«

Wir liefen die Neuwaldegger Straße hinunter zum NSV-Heim. Der Erzengel hinter uns her. Aus dem Engel-Garten kreischte der Engel, daß er nicht allein bleiben wollte. Brüllte wie am Spieß. Der Erzengel scherte sich nicht darum.

Das große dunkelbraune Tor vom NSV-Heim stand offen. Das Schloß war aus der Tür gebrochen.

Ein Mann kam durch den langen, dunklen Gang zum Tor. Er schleppte zwei blaue Papiersäcke und einen braunen Leinensack. Er sagte: »Hinten im Hof ist das Magazin!«

Das Magazin war ein großer Saal. Früher war es sicher ein Gasthaussaal gewesen, für die Sonntagsspaziergänger. Im Saal waren lauter hölzerne, hohe Regale. Auf den Regalen stapelten sich blaue Säcke und weiße Schachteln und braune Säcke. Und zwischen den Regalen liefen überall Leute. Ich wunderte mich, daß es noch so viele Leute in der Gegend gab. Ich hatte gedacht, wir und die Engeln und der Wawra und der Herr Zimmer seien die letzten. Aber da waren mindestens fünfzig Leute. Und was sie taten, war ziemlich sonderbar. Sie rannten in den Gängen zwischen den Regalen herum. Sie rissen Löcher in die blauen Papiersäcke. Sie warfen die weißen Schachteln von den Brettern. Sie schnitten mit Messern die braunen Stoffsäcke auf, schauten hinein und rannten weiter. Sie luden sich zwei blaue Säcke auf die Schultern, warfen sie wieder ab, packten einen braunen Sack, liefen zum Ausgang, schmissen den braunen Sack wieder in die Ecke und nahmen dafür drei weiße Schachteln. Durch die Löcher, die sie in die Säcke gemacht hatten, rieselten Fleckerln* und Bohnen und Erbsen und Suppennudeln auf den Boden. Und noch eine Menge Sachen, von denen ich nicht wußte, wozu sie gut waren. Da waren Haufen von kleinen, grauen Wuzerln. Die schmeckten sehr salzig, aber gut. Und dünne, dunkelbraune Fäden lagen zwischen den Nudeln und Erbsen. Ich kostete auch davon. Ich merkte, es war geröstete, getrocknete Zwiebel.

Die Bohnen und die Nudeln und die Erbsen und die Flekkerln bedeckten nun schon knöcheltief den Fußboden. Und aus den Säcken rieselte es noch immer. Es knirschte und krachte, wenn man einen Schritt machte. Doch man mußte darauf treten. Der ganze Boden war voll davon. Mir machte das Fleckerl-Erbsen-Nudel-Treten Spaß. Es knirschte so schön.

Mein Vater zog ein Handwagerl ins Magazin. Hinter ihm kam eine dünne, alte Frau. Die dünne, alte Frau zeterte, keifte: »Sie, Kerl, Sie! Was unterstehen Sie sich! Das ist mein Handwagerl. Geben Sie mir sofort mein Handwagerl zurück. Sie können mir doch nicht einfach mein Handwagerl...«

Das Handwagerl kreischte durch die Nudeln. »Sie bekommen Ihr verdammtes Scheißwagerl ja wieder zurück!« brüllte mein Vater. Meine Mutter und die Frau von Braun schichteten blaue Säcke und braune Säcke und weiße Schachteln auf das Handwagerl und zwei große Kanister mit Speiseöl. Bis das Handwagerl voll war.

Mein Vater zog vorn an der Deichsel vom Wagerl. Meine Mutter und die Braun schoben hinten an. Hildegard und ich

---

* Fleckerl – Speise aus Nudelteig

hielten das blau-braune Sackgebirge auf der einen Seite, meine Schwester und Gerald stützten es auf der anderen Seite.

So kamen wir langsam und mühsam über den Nudelboden. Eine junge Frau wollte uns das Handwagerl streitig machen. Sie sagte, sie sei die Nachbarin von der alten, dünnen Frau, der das Handwagerl gehörte. Sie habe viel mehr Anspruch darauf als wir. Und die alte Frau stand noch immer bei der Magazintür und schrie: »Nix! Nix da! Niemand bekommt mein Wagerl! Niemand! Her damit! Mir gehört's! Mir ganz allein!«

Mein Vater wollte mit dem Handwagerl durch die Magazintür. Die Alte stellte sich in die Tür. Stemmte ihre Arme rechts und links in den Türrahmen. Mein Vater ließ die Deichsel los. Nahm die Alte unter den Achseln, zerrte sie aus der Tür. Die Alte strampelte mit den Beinen. Die Beine hingen in der Luft. Sie schrie: »Bagage! Proleten! Loslassen! Plünderer! Das gehört alles dem NSV! Das darf keiner nehmen! Und mein Handwagerl schon gar nicht!«

Mein Vater trug die strampelnde Alte in den Hof. Setzte sie in ein Blumenbeet, zwischen gelbe und violette Krokusse. Kam zum Handwagerl zurück. Zog wieder an der Deichsel.

Ich kicherte. Wegen der Alten zwischen den Krokussen.

»Da gibt's gar nichts zu lachen!« mahnte meine Mutter.

»Geschieht ihr doch recht, der Geizigen«, sagte meine Schwester.

»Sie kann nichts dafür«, sagte meine Mutter.

Wir kamen nur langsam voran. Das Sackgebirge wackelte. Kippte um. Wir mußten die Säcke und die Kanister wieder aufladen. Wir fuhren durch unser Gartentor. Auf dem Kiesweg wollte das Wagerl nicht mehr. Es verlor ein Rad. Wir trugen das Wagerl ins Haus. Das Rad warfen wir in den Efeu.

14.

Die salzigen Nasenrammeln
Die Beute vom Erzengel
Die Beute vom alten Wawra
Der fremde Lärm

Meine Eltern und die Frau von Braun liefen mit den blau-weiß-braunen Schätzen in den Keller. Zum Kellerversteck. Zu den Einsiedegläsern aus der Leinfellner-Villa. Sie waren aufgeregt. Sie hatten rote Wangen. Sie lachten. Sie hatten Nudeln und Erbsen. Sie hatten Zucker und Zwiebelfäden. Sie hatten Bohnen und Öl. Sie sagten: »Dorthin räumen wir die Bohnensäcke!«

Und: »Unter die Kellerstiege legen wir den Zucker!«

Und: »Die Erbsensäcke schichten wir in der Ecke auf!«

Und das klang so wie: »Wir werden durchkommen!«

»Wir werden es schaffen!«

Ich holte mir graue, salzige Wuzerln aus einer weißen Schachtel. Ich ließ die Wuzerln in meine Schürzentasche rieseln.

»Aber nein!« rief meine Mutter. »Das kannst du so roh nicht essen. Das ist getrocknete Rindssuppe!«

»Ist aber sehr gut so«, sagte ich und lief aus dem Haus, über die Wiese zum alten Wawra.

Der alte Wawra putzte die Gartenwege. Mit einem eisernen Rechen. Das tat er jeden Tag. Obwohl niemand auf den Wegen ging und sie schmutzig machte.

»Seid's ihr mit einem Handwagerl voll Säcken gekommen?« fragte mich der Wawra und lehnte den Rechen an einen Baumstamm. Ich nickte. Ich holte graue Wuzerln aus der Schürzentasche. Hielt sie dem alten Wawra hin. »Getrocknete Rindssuppe«, erklärte ich.

»Rindssuppe ist naß«, sagte er.

»Diese hier ist getrocknet«, sagte ich.

Der Wawra nahm ein graues Wuzerl. Betrachtete es, rieb es zwischen Daumen und Zeigefinger. Der Daumen und der Zeigefinger waren schwielig. Der Wawra murmelte: »Wie ein Nasenrammel!«

»Kosten Sie es! Schmeckt gut«, meinte ich.

Der Wawra wollte nicht kosten. »Nie, nie im Leben«, behauptete er, »trocknet Rindssuppe zu Nasenrammeln ein!«

»Doch, doch, Ehrenwort!« sagte ich. Aber so ganz sicher war ich mir nun auch nicht mehr. Nasenrammeln schmecken ja auch ziemlich salzig. Und gut.

Ich erzählte dem Wawra die Sache mit dem NSV-Heim und den Lebensmittelsäcken.

Der Erzengel störte uns. Er kam laut jammernd die Straße herauf. Der Engel jammerte hinterher. In der einen Hand hatte der Erzengel einen braunen Sack. In der anderen Hand hatte er einen blauen. Aber die Säcke waren leer und flatterten flügelgroß neben dem Erzengel.

Der Wawra und ich gingen auf die Straße. Wir empfingen den Erzengel.

»Ich möchte melden«, keuchte der Erzengel, »daß bereits alles geplündert ist! Alles weg! Nichts mehr da!« Er fuchtelte mit den leeren Säcken vor unseren Gesichtern herum. Ein paar Fleckerln und ein paar Erbsen fielen auf den Gehsteig.

»Aber das Magazin war doch noch so voll«, sagte ich.

»Ja, ja«, schnaubte der Erzengel, »doch dann, also dann, ich

77

wollte dünnere Nudeln, da habe ich die dünneren Nudeln gesucht, und dabei ist mir der Zuckersack zerrissen, und dann hat mir so ein großer Lümmel einfach meinen Bohnensack weggenommen, und dann, und dann, die Menschen sind ja so gemein, und dann...«

Der Erzengel hörte zu reden auf. Die gelben Haare hingen dünn und glatt vom Kopf. Der Erzengel verzog den Mund. Zuerst wurde der Mund ganz breit und dann ganz rund. Der Erzengel schaute uns mit offenem Mund an. Tränen liefen über seine Wangen.

»Was war denn dann?« fragte der alte Wawra.

Der Erzengel machte wieder einen normalen Mund. Er sagte: »Dann waren auf einmal alle Leute weg und alle Säcke und Schachteln auch. Und kein einziger Kanister war mehr da. Nur der Fußboden, der Fußboden ist voll mit dem Zeug. Nudeln und Erbsen und Zucker und so! Knöcheltief!«

»Wieso der Fußboden?« Der Wawra begriff es nicht.

Ich erzählte ihm von den Leuten, wie sie Löcher in die Säcke gemacht hatten und wie die Sachen dann aus den Löchern gerieselt waren. »So eine Schweinerei!« rief der Wawra.

Der Erzengel sagte: »Aber ich mußte doch auch Löcher in die Säcke machen! Auf den Säcken waren ja keine Etiketten und keine Aufschrift. Und ich wollte doch dünnere Nudeln!«

»Sie Kuh, Sie dumme Kuh, Sie!« sagte der alte Wawra. Er ging in seinen Garten zurück.

Der Erzengel machte beleidigt kehrt, lief zu seinem Haus. Die Säcke hielt er noch immer fest.

Der alte Wawra kam mit dem Schubkarren und einer Schaufel aus dem Gartentor gefahren. Er murmelte: »Erbsen,

Bohnen, lauter Essen! Auf dem Fußboden! Das geht nicht! Das darf man nicht! Ich hole die Sachen!«

Ich wollte mit dem Wawra ins NSV-Heim gehen. Doch meine Mutter schaute gerade aus dem Küchenfenster. Sie ließ mich nicht fort. Ich kletterte auf den Lanzenzaun. Schaute dem Wawra nach. Sah ihn im NSV-Heim verschwinden.

Es dauerte lange, bis der Wawra wiederkam. Er schob den Karren mühsam die Straße herauf. Er war randvoll. Auf den Nudeln glitzerte Kristallzucker, um die Erbsen ringelten Zwiebelfäden. Der Wawra fuhr zu seinem kleinen Lusthaus und kippte den Karreninhalt ins Lusthaus. Dann fuhr er wieder zum NSV-Heim zurück, holte eine neue Fuhre.

Der alte Wawra ist mindestens neunmal hin- und hergefahren. Das ganze Lusthaus war schon voll. Endlich hörte er mit der Fahrerei auf. Er war zu müde. »Dabei ist noch immer alles voll, unten im NSV-Heim«, sagte er.

Ich kroch durch den Zaun zum Lusthaus, betrachtete die vermischten Schätze. Ich ließ das Vermischte durch die Finger rieseln. »Das können Sie nie im Leben kochen«, sagte ich, »weil es nach Zucker schmecken wird, und das wird nicht gut schmecken. Und dann brauchen die Nudeln nur zwanzig Minuten, bis sie weich sind, und die Bohnen brauchen stundenlang!«

Der alte Wawra setzte sich auf die Gartenbank vor dem Lusthaus. Er holte mehrere Papierknäuel aus der Rocktasche und strich die Papierchen glatt. »Red doch nicht immer so neunmal g'scheit«, sagte er, »hilf mir lieber sortieren!«

Der alte Wawra legte die Papierchen neben sich auf die Gartenbank. Dann bat er mich, eine Schaufel voll Vermischtes aus dem Lusthaus zu holen.

Ich brachte die Schaufel voll Vermischtes und schüttete es dem Wawra in den Schoß.

Und dann sortierten wir: auf ein Papier die Nudeln. Auf ein zweites die Zwiebelfäden. Auf ein Papier die Erbsen. Auf ein Papier die Bohnen.

Ich deutete zum Lusthaus. »Da brauchen wir hundert Jahre, bis wir damit fertig sind!«

»So lange leb ich nicht mehr«, sagte der Wawra, »und du auch nicht!«

Unser Nudelhäufchen war das größte, das Erbsenhäufchen das kleinste.

»Ich könnte Ihnen einen vollen Sack aus unserem Keller bringen«, schlug ich vor. Aber ich war mir nicht sicher, ob meine Mutter einen Sack hergeben würde.

»Ich brauch keinen vollen Sack«, sagte der Wawra, »ich bin alt. Alte Leute essen nicht viel!«

Es wehte ein leichter Frühlingswind. Er wehte uns die Zwiebelfäden von der Gartenbank. Ich suchte sie. Klaubte sie vom Kiesweg. Ich holte eine neue Schaufel mit Vermischtem. Die Hose vom alten Wawra war voll Kristallzucker.

Gerald kam zum Zaun. »Komm rüber«, rief er.

»Ich muß sortieren«, erklärte ich.

»Geh schon rüber«, sagte der Wawra. »Ich komm allein gut zurecht!«

Ich schüttelte den Kopf, hockte mich wieder zum Wawra und sortierte.

»Die guten ins Töpfchen, die schlechten ins Kröpfchen«, spottete Gerald und ging weg.

Ich hockte lange und sortierte. Meine Füße schliefen ein. Es prickelte in den Zehen und stach in den Fersen. Gleich mußte

Mittag sein. Auf einmal hörte der alte Wawra zu sortieren auf. Er lauschte. »Ich höre etwas«, sagte er. Ich hörte nichts.

»Doch, doch«, sagte der Wawra. Er schüttete das Vermischte aus seinem Schoß auf ein Papier. Er klopfte den Zukkerstaub von den Hosenbeinen. Wir gingen zum Gartentor.

Jetzt hörte ich auch etwas. Es war ein merkwürdiges Geräusch – dumpf, leise, verworren, aus verschiedenen Geräuschen zusammengesetzt.

»Pferde«, sagte der alte Wawra, «und Wagen!« Und dann: »Das sind die Russen!«

Wochenlang hatte ich auf die Russen gehofft. Wegen meinem Vater und wegen der Nazis und weil sich endlich etwas ändern sollte. Nun kamen die Russen! Ich spürte mein Herz klopfen. Aber es klopfte nicht in der Brust, sondern im Hals. Das dumpfe, verworrene Geräusch, das immer näher kam, war schuld daran. Jetzt hörte man schon Stimmen aus dem Geräusch heraus. Und dann wurde aus dem Geräusch Lärm. Ungewohnter Lärm. Fremder Lärm. Und dann bogen sie oben, von der Höhenstraße her, in unsere Straße ein. Die Pferde, die Wagen, darauf die Russen. Ich konnte noch nichts deutlich erkennen. Sah nur, daß es ein langer Pferde-Russen-Wagen-Zug war. Ich hörte an dem Lärm, daß der Zug noch weit hinter der Kurve weiterging. Die Pferde, die Wagen, die Russen – alle waren gelbgrau.

Mir fiel die Frau vom SSler ein, die, die mit ihren Kindern über alle Berge war. Und daß die Russen den Frauen angeblich die Brüste abschneiden, das fiel mir auch ein. Und an die zerstückelten, eingesalzenen Frauen mußte ich denken. Ich sah den Forstrat vor mir, wie er sagte: »Die Russen sind fürchterlich!«

Der alte Wawra beugte sich zu mir und sagte: »Ich brauche Ata oder Imi!«

Wozu brauchte denn der alte Wawra jetzt Ata oder Imi?

»Oder habt ihr wenigstens ein Stück Kernseife?« fragte der alte Wawra.

Ich starrte den Russen entgegen. »Wozu brauchen Sie denn Kernseife?«

»Ich gehe nämlich jetzt das Schlafzimmer putzen. Alles soll glänzen und sauber sein!« Er zeigte auf den immer näher kommenden Russenzug. Er sagte dicht an meinem Ohr, und es dröhnte in meinem Ohr: »Jetzt kommen die Russen, und dahinter, da kommt der Herr Goldmann! Der alte Herr Goldmann! Ich muß sein Bett überziehen und den Boden scheuern. Er wird müde sein!«

Ich dachte: Die Russen kommen, und der alte Wawra ist verrückt geworden! Ich dachte: Die Russen kommen, und der alte Wawra schaut aus wie die Hannitante. Ich dachte: Die Russen kommen, und die Hannitante hat keinen Kopf mehr. Der liegt im Schutthaufen bei der Kalvarienberggasse.

Ich schrie: »Wir haben keine Kernseife!«

Dann rannte ich zu unserer Gartentür.

Meine Mutter kam mir entgegen. »Wo bleibst du denn?« brüllte sie. Sie packte mich an der Hand, lief mit mir zum Haus. Sie rief: »Die Russen kommen!«

»Ja«, sagte ich, »mit Pferden und Wagen. Sie sind schon in die Straße eingebogen!«

»Wenn du noch einmal davonrennst, wenn gerade die Russen kommen«, brüllte meine Mutter, »dann kannst du etwas erleben!«

15.

Die weißen Leintücher
Die vergessene Uniform
Die klein-großen Onkel
Die siebzehnmal drei Schläge an der Tür
Die Blonden und die Braunen

Meine Mutter wollte mich ins Haus ziehen. Ich begann zu brüllen. Ich hielt mich an der Türklinke fest. Sie versuchte, meine Finger von der Klinke zu lösen, und keuchte, daß ich total übergeschnappt sei und daß das auch kein Wunder sei, daß ich aber trotzdem in den Keller hinuntergehen müsse. Sonst würden mich die Russen schnappen. Mein Vater kam, riß meine Finger von der Türklinke, hob mich hoch und trug mich zur Kellertür. Ich strampelte wütend und brüllte weiter. Ich wußte nicht genau, warum ich brüllte. Es hatte etwas mit meiner Kellerangst zu tun und etwas mit dem alten Wawra, der noch immer vor seiner Gartentür stand und auf den Herrn Goldmann wartete.

Mein Vater ließ mich los. Ich hatte ihm beim Herumstrampeln gegen seine kranken, eitrigen Schienbeine getreten. Ich rutschte zu Boden. Ich hörte zu brüllen auf.

Meine Mutter sagte: »Na gut, gehst halt nicht in den Keller runter. Aber im Haus mußt du bleiben!« Sie schob den großen Riegel vor die Haustür.

Ich nickte.

Hildegard, Gerald, meine Schwester und die Frau von Braun waren im Keller unten. Meine Schwester rief aus dem

Keller: »Mutti, Vati, kommt! Kommt runter!« Ihre Stimme war voll Angst.

Mein Vater humpelte in den Keller. Ich ging mit meiner Mutter in den Salon. Wir schauten auf die Straße. Auf der Straße fuhren Wagen, graugelbe, hölzerne, von Pferden gezogene Wagen. Die Pferde waren klein und grau. Auf den Wagen saßen Soldaten. Sie hatten schmutziggelbe Uniformen an. So weit ich schauen konnte, waren überall auf der Straße Wagen und Pferde und Soldaten.

Aus einem Fenster vom Haus des Herrn Zimmer hing ein weißes Leintuch. Und aus dem Erzengel-Haus hing auch ein weißes Leintuch und flatterte im Wind.

Meine Mutter erklärte mir die weißen Leintücher. Sie sagte: »Sie ergeben sich. Wenn man eine weiße Fahne zum Fenster hinaushängt, hat man sich ergeben!«

»Warum ergeben sie sich?« fragte ich.

»Weil sie Angst haben, vor den Russen!«

»Warum ergeben wir uns nicht?« fragte ich.

»Wir haben kein weißes Leintuch!« sagte meine Mutter.

Das war nicht wahr. Die Frau von Braun hatte etliche weiße Leintücher im Schrank.

»Ergeben sich der Erzengel und der Zimmer gerne?« fragte ich. Meine Mutter zuckte mit den Schultern, sagte: »Die ergeben sich immer. Vor sieben Jahren haben sie sich dem Hitler und den Nazis ergeben. Jetzt ergeben sie sich den Russen, und wenn nächstes Jahr wieder andere kommen, werden sie sich wieder ergeben!«

Ich fragte: »Wie viele Russen kommen denn?« Und: »Können sie Deutsch reden?« Und: »Werden sie uns etwas tun?«

Meine Mutter starrte auf den Russen-Pferde-Wagen-Zug.

Sie gab mir keine Antwort. Plötzlich fuhr sie erschrocken zusammen und rief: »Du, Christel! Die Uniform! Dem Vati seine Uniform! Die dürfen sie auf keinen Fall finden! Renn g'schwind! Hol die Uniform! Bring sie mir in die Küche!«

Ich lief in unser Zimmer. Ich legte mich vor meinem Bett auf den Bauch. Der Karton mit der Uniform war ganz hinten an der Wand. Ich zog den großen braunen Karton unter dem Bett hervor. Um den Karton war eine feste Schnur. Der Knoten in der Schnur war nicht aufzulösen. Ich riß die Schnur vom Paket. Die Schnur schnitt mir in die Finger. Ich nahm den Deckel vom Karton. Ich warf die alten Zeitungen, lauter »Völkische Beobachter«, die oben im Karton lagen, hinaus. Darunter waren die Uniform, die Hose, die Jacke, die Kappe und der Ledergürtel. Ich packte die Sachen. Der Gürtel fiel zu Boden. Die eiserne Schnalle mit dem Hakenkreuz schlug klimpernd auf.

Ich bückte mich, hob den Gürtel auf, preßte das Uniformbündel auf meinen Bauch und lief mit dem grün-grauen Bündel durchs Zimmer, aus dem Zimmer, durchs nächste Zimmer, aus dem nächsten Zimmer, in den Salon.

Von der Straße her hörte ich den Lärm der Wagen, von den Pferden, von den fremden Stimmen. Einzelne Worte konnte ich klar und deutlich hören.

Der Himmel vor dem Fenster war blau. Das Sonnenlicht fiel durch die schmutzigen Fensterscheiben auf den Parkettboden und auf die aufgerollten Teppiche und auf die leinenüberzogenen Sesselungeheuer. Die Tür zum Onkelzimmer war offen. Etliche Onkel glotzten. Aus der Küche rief meine Mutter: »Christel, so komm doch! Komm doch schon, bitte!«

Die Stimme meiner Mutter klang sehr weit weg und sehr

leise. Und die Tür zum Vorhaus schien auf einmal sehr weit weg zu sein.

Ich starrte auf den zusammengerollten Teppich zu meinen Füßen. Die Teppichrolle war unheimlich lang. Ich würde ewig brauchen, bis ich in der Küche war.

Ich ging langsam die Teppichrolle entlang. Alles sah aus wie durch den Operngucker betrachtet, wenn man auf der falschen Seite hineinschaut. Der leinenüberzogene Kronleuchter hing schief. Die Staubkörner wirbelten im Sonnenlicht. Die Bilder im Onkelzimmer wurden auf einmal so groß wie Schränke und dann so klein wie Spielkarten und dann wieder so groß wie Schränke.

Ich stand still. Ich konnte mich nicht rühren.

Meine Mutter erschien in der Salontür. Sie war klein wie ein Stehaufmännchen in einem Vogelkäfig. Sie lief auf mich zu und wurde dabei immer größer, wurde riesengroß. Sie riß mir das Uniformbündel aus der Hand und rannte in die Küche zurück. Bei der Salontür war sie wieder winzig klein.

Ich weiß nicht, wie lange ich so stand und den Onkeln und den Staubkörnern und dem Kronleuchter und der Teppichrolle zuschaute. Plötzlich klopfte es laut an die Haustür, und eine tiefe Stimme rief fremde, unverständliche Worte.

Ich ging durch den Salon auf das Vorhaus zu. Der Salon war wieder normal groß. Die Onkel glotzten im richtigen Format. Der Kronleuchter hing schnurgerade.

Ich kam zur Küchentür. Meine Mutter stand am Herd. Sie hielt einen Schürhaken in der Hand und murmelte: »Verdammt noch einmal, verdammt noch einmal!«

Der Herd qualmte, rauchte und stank. Aus der offenen Herdtür hing ein Uniformhosenbein. Meine Mutter hantierte verzweifelt mit dem Schürhaken, das Hosenbein wollte nicht in den Ofen hinein. Ich hielt den Atem an und zählte die Schläge gegen die Haustür. Bei siebzehnmal drei – nach dreimal klopfen legte der Klopfer nämlich immer eine kurze Pause ein –, nach einundfünfzig Schlägen also kamen mein Vater und die Frau von Braun die Kellertreppe herauf.

»Man muß ihnen öffnen«, flüsterte die Braun, »sie schlagen sonst noch die Tür kaputt!«

Meine Mutter sah meinen Vater im Vorhaus stehen. Sie ließ den Schürhaken fallen, rannte zu ihm und drängte ihn zur Kellertür zurück. Sie zischte: »Bist du wahnsinnig geworden! Verschwind sofort in den Keller hinunter! Das erledigen wir ohne dich! Willst dich gleich in der ersten Minute schnappen lassen? Davon hat kein Schwein was, verstehst?«

Mein Vater schaute ratlos.

Auch die Frau von Braun winkte meinen Vater in den Keller hinunter.

Mein Vater nickte.

Meine Mutter seufzte erleichtert.

Mein Vater war jung und kräftig, trotz der zerschossenen Beine. Das mußte jedem Russen verdächtig vorkommen. Zu dieser Zeit waren alle jungen, kräftigen Männer entweder tot, oder sie waren Soldaten. Und den Russen war es sicher völlig egal, ob mein Vater noch ein deutscher Soldat war oder ob er vor ein paar Wochen aufgehört hatte, Soldat zu sein. Für die Russen war jeder deutsche Soldat ein Feind. Und einen Feind muß man gefangennehmen und nach Sibirien schicken.

Meine Mutter lief in die Küche zurück. Die Küchentür schloß sie hinter sich.

Die Frau von Braun holte tief Atem, versuchte zu lächeln,

sagte zu mir: »Na denn, mach mal auf!«, und ich ging zur Haustür und schob den großen Messingriegel zurück.

Die Tür ging auf. Vor mir standen zwei Männer in gelb-grauen Uniformen. Jeder hatte irgendwo einen hellroten fünf-zackigen Stern. Der eine Mann war riesengroß. Mit sehr breiten Schultern. Der andere war auch sehr groß. Aber nicht so breit. Dafür war er viel jünger. Seine Kappe hielt er in der Hand. Er hatte hellbraune Stoppelhaare. Er lächelte.

Der Breitschultrige sagte etwas, was ich nicht verstand. Er betrat das Vorhaus und schaute sich um. Der Breite sagte wie-der etwas, was ich nicht verstand. Er schaute zur Kellertür herein, schaute zum Salon, fragte: »Soldat hier? Nix Sol-dat?«

Die Frau von Braun schüttelte den Kopf. »Nix Soldat, nix Soldat, nix, nix!« erklärte sie entschieden.

Der Breitschultrige öffnete die Küchentür. Die Küche war voll Rauch und Qualm. Aber die Ofentür war geschlossen. Oben auf der Herdplatte jedoch fehlten die gußeisernen Rin-ge. Die lagen auf dem Fußboden verstreut. Aus der Herdplatte schaute ein großes, grün-graues Bündel mit schwarzverkohl-ten Flecken. Und gerade in dem Augenblick, wo der Breitschultrige die Küche betrat, stellte meine Mutter den gro-ßen Wassertopf auf den grün-grauen Berg und drückte den Topf fest gegen die Herdplatte. Dann drehte sich meine Mutter um. Sie war rot im Gesicht und verschwitzt. Sie schaute den großen Breitschultrigen an und lächelte. Der lachte zurück und sagte: »Nix gut, nix gut!«

Dabei zeigte er auf den Herd. Er ging zum Fenster und öffnete es. Er zeigte auf den sehr blauen Himmel und auf die Sonne und deutete dann nach oben zum Dach.

Meine Mutter nickte und nickte und bestätigte mit vielen Gesten, daß es furchtbar ist, wenn die Sonne auf den Kamin scheint und der Herd deshalb qualmt.

Der Soldat mit den Stoppelhaaren lehnte in der Küchentür und hustete ein bißchen wegen dem Rauch. Ich stellte mich neben ihn und lächelte zu ihm hinauf.

Der Soldat nahm meinen langen, braunen Zopf in die Hand und betrachtete ihn. Dann verdrehte er die Augen, schielte, machte einen spitzen Mund und stöhnte: »Ooooooaaaaaooooo.« Ich kicherte geschmeichelt. Es war klar, er fand mich schön.

Langsam zog der Qualm durch das Küchenfenster ab. Der große, breite Soldat trank ein Glas Wasser.

Meine Schwester und Hildegard kamen die Kellerstiege herauf. An der Kellertür blieben sie stehen. Ich winkte sie gönnerhaft herbei. Sie kamen zögernd in die Küche.

Der Breitschultrige fragte meine Mutter: »Alles deine Kind?«

Meine Mutter schüttelte den Kopf. Hildegard stellte sich dicht neben die Frau von Braun. Die Frau von Braun legte ihren Arm um Hildegards Schultern. Meine Schwester stellte sich zu meiner Mutter. Meine Mutter legte ihren Arm auf die Schultern meiner Schwester. Da ging ich auch zu meiner Mutter und ließ mir einen Arm um die Schulter legen.

Der Breitschultrige war mit unserer Familienvorstellung zufrieden. Er nickte und stellte fest: »Schöne Kind! Viele schöne Kind!«

Dann kam Gerald in die Küche. Er wollte anscheinend auch ein schönes Kind sein. Er lief zu Frau von Braun und ergänzte das Familienfoto.

Der Breitschultrige aber schaute plötzlich sehr böse. Seine Augen waren schmale, schwarze Striche. Sein Kinn war dick und stoppelbärtig. Er zeigte auf Gerald: »Germanski, Germanski!«

Gerald war nämlich der einzige unter uns, der hellblonde Haare hatte und hellblaue Augen und eine sehr weiße Haut.

Die Frau von Braun beteuerte händeringend, daß ihr armer Gerald bei Gott kein Germanski, also kein Deutscher, sondern ein richtiger Österreicher sei. Ein sehr blonder, leider!

Bisher hatte ich mir immer gewünscht, sehr blond und sehr blauäugig zu sein. Alle schönen Knaben und Mädchen in den Lesebüchern, im Kino, auf Plakaten und in der Zeitung waren blond und blauäugig gewesen. Nun war ich froh, über und über braun zu sein. Die Sache mit den »Österreichern« und den »Germanski« verstand ich aber nicht. »Germanski« sagten die Russen zu den Deutschen. Soviel war klar. Warum wir jedoch plötzlich keine Deutschen mehr waren, das begriff ich nicht. Wo ich doch in der Schule mindestens einmal am Tag gehört hatte, daß ich von der Vorsehung dazu auserwählt war, ein deutsches Mädchen zu sein.

Der Breitschultrige trat zu Gerald. Er betrachtete ihn genau. So genau, wie der Herr Benedikt, der ein Briefmarkensammler war, immer seine Briefmarken angeschaut hat. Er griff in Geralds weißblonde Haare, befühlte Geralds Ohrläppchen, strich über Geralds Augenbrauen, und man konnte merken, daß er mit Gerald nicht zufrieden war.

Gerald begann zu weinen. Die Frau von Braun redete ununterbrochen auf den Breitschultrigen ein. Der Soldat verstand sie nicht. Er knurrte böse.

Der mit den Stoppelhaaren lehnte noch immer in der Küchentür. Ich schaute zu ihm. Er lächelte nicht mehr. Er nickte mir zu. Dann ging er zum Breitschultrigen. Die beiden redeten miteinander. Wir verstanden kein Wort. Doch das war sicher: Der mit den Stoppelhaaren war für Gerald, und er versuchte, den anderen zu überreden. Anscheinend gelang es ihm. Der Breitschultrige hörte auf, Gerald zu begutachten. Er schaute noch einmal wild in der Küche herum, dann ging er hinaus, verließ das Haus. Der mit den Stoppelhaaren sagte »Dos widanija« zu uns und ging dem Breitschultrigen nach.

Wir standen ganz still. Wir warteten, bis die beiden am Küchenfenster vorbeikamen, bis sie um die Hausecke verschwunden waren. Dann lief ich zum großen Fenster in dem Salon. Auf der Straße fuhr noch immer die Pferde-Wagen-Soldaten-Kolonne. Ich sah den Breitschultrigen und den Stoppelhaarigen durchs Gartentor gehen, den Zaun entlang gehen und im Erzengel-Tor verschwinden. Ich dachte: Engel, jetzt hat deine Stunde geschlagen! Engel! Weil du nämlich blond bist, da wird dir deine Haarschleife einen Dreck nutzen, Engel, und dein Puppenwagen auch nicht. Der Breitschultrige wird dich umbringen, und der mit den Stoppelhaaren wird dir nicht helfen, denn der ist mein Freund und nicht deiner, der wird nicht für dich reden, Engel!

Ich hüpfte auf der Teppichrolle durch den Salon. Ich hüpfte in die Küche. Dort war nur Gerald. Er stand beim Küchentisch und heulte und drosch mit den Fäusten auf den Tisch und rief in einem fort: »Sauhunde, blöde die! Hundsärsche, verdammte, saublöde, die Hundsärsche, die Sauhunde, blöde die...«

»Wo sind denn die anderen?« fragte ich.

Gerald gab mir keine Antwort. Er heulte und fluchte weiter.

Wahrscheinlich waren die anderen im Keller bei meinem Vater, um ihm Bericht zu erstatten. Ich überlegte, ob ich Gerald trösten sollte. Doch mir fiel nichts ein. Seine Haare waren wirklich unheimlich blond, und seine Augen waren wirklich entsetzlich hellblau. Und seine weiße Haut hatte mir nie sehr gefallen. Ich ging in den Keller.

16.

Der Kronleuchterschießer
Die Vorwürfe an mich
Die Vorwürfe an meinen Vater
Die verschimmelten Zwetschkenbeine

An diesem Tag kamen noch viele Russen zu uns. Wir verriegelten die Haustür nicht mehr. Die Soldaten kamen zu dritt oder zu viert. Sie gingen durchs Haus, öffneten Schränke, zogen Schubladen heraus, rollten Teppiche auf, zogen Vorhänge an den Quastelschnüren auf und zu und auf und zu und schauten in die Töpfe am Herd, in denen nichts drin war außer Bohnen und Nudeln.

Sie hatten alle den Uhrentick. Es war mir unbegreiflich, was sie mit den vielen Uhren wollten. Jeder von ihnen hatte schon an jedem Handgelenk mindestens eine, und trotzdem verlangten sie immer wieder »Uhra, Uhra« und waren sehr traurig, wenn sie keine bekamen.

Sie nahmen auch andere Sachen mit. Aber auf die legten sie anscheinend keinen besonderen Wert, denn etliches von dem

Zeug fanden wir dann im Garten wieder. Sie hatten es schon beim Fortgehen weggeworfen.

An einen Russen kann ich mich besonders gut erinnern. Er kam ganz allein. Er war ein großer, starker Kerl und schielte. Ich stand an der Haustür, als er kam. Ich grüßte ihn freundlich. Ich hatte strengen Befehl von meiner Mutter, alle Soldaten freundlich zu grüßen. Mir machte das nichts aus. Ich grinste und grüßte schon den ganzen Nachmittag wie ein frischlackiertes Zirkuspferd. Zuerst hatte ich immer »Guten Tag« gesagt, nun sagte ich schon »Dos widanija« oder »Strastwuitje«. Und das freute die Soldaten sehr.

Der, an den ich mich besonders gut erinnern kann, der treute sich aber nicht. Er grüßte nicht einmal zurück. Er ging durchs Vorhaus in den Salon. Ich hinter ihm her. Er schaute auf den leinenüberzogenen Kronleuchter. Er schaute sehr lange. Dann nahm er seine Pistole und schoß auf den Kronleuchter. Es knallte laut, und nachher rieselten aus zwei Löchern im Leinenüberzug sehr viel Glasstaub und Glassplitter.

Es war nicht mein Kronleuchter. Es war der Kronleuchter der alten Frau von Braun, und die war ekelhaft, plüschbemäntelt und rothakennäsig. Ich schaute voll Freude dem Glasgeriesel zu. Der Schielende schoß wieder. Dieses Mal zielte er auf die rote, dicke Schnur, an der der Kronleuchter von der Decke hing. Zuerst traf er das mittlere Salonfenster. Dann traf er den Glaskasten mit den Porzellanschäferinnen. Dann traf er die rote Schnur, und das leinenüberzogene Ungeheuer sauste herunter. Der Überzug ging auf. Der Fußboden war voll Glasstaub und gläserner Kinkerlitzchen. Dazwischen kugelten Glühbirnenfassungen und ringelten elektrische Drähte, lagen gebogene Messingteile.

Ich hätte dem Schielenden gern zugelächelt und ihm gezeigt, daß im Nebenzimmer noch so ein Lüsterding war. Aber der Schielende hielt noch immer die Pistole in der Hand, und ich wußte nicht genau, ob er zwischen mir und einem Lüsterding viel Unterschied machte. So blieb ich hinter der Salontür stehen und schaute zu, wie der Schielende über die Glasscherben stieg.

Er ging ins Onkel-Zimmer.

Ich wartete. Hoffte auf weitere Schüsse. Dachte, daß der Onkel-Zimmer-Lüster gleich auf das Klavier sausen werde. Doch es blieb still. Und dann kam der Schielende wieder, krachte durch die Glasscherben, ging an mir vorbei ins Vorhaus. Unter einem Arm trug er den Onkel, der der Großvater von Gerald und Hildegard war. Als der Schielende bei der Haustür war, rief ich: »Dos widanija! Strastwuitje!«

Der Schielende drehte sich um. Die Pistole hielt er noch immer in der Hand.

Ich dachte: Verflucht noch einmal, Schielender! Grins mich an, verdammt noch einmal! Ich bin kein Kronleuchter, und blond bin ich auch nicht! Lächle doch! Meine Augen sind ganz dunkelbraun!

Der Schielende lächelte trotzdem nicht. Aber er steckte die Pistole weg. Er packte den Großvater-Onkel mit beiden Händen und zog ab.

Ich wollte in den Salon gehen, in den Glasscherben herumtreten. Meine Mutter hinderte mich daran. Sie kam und schleppte mich weg. Diesmal nicht in den Keller, sondern auf den oberen Dachboden. Mein Vater hatte seinen Unterschlupf vom Keller aufs Dach verlegt. Das war angeblich sicherer.

Ich kletterte also vor meiner Mutter über die wacklige Leiter und durch das viereckige Loch auf den oberen Dachboden. Dort hockten sie alle. Sie machten mir Vorwürfe. Sie hatten geglaubt, der schielende Russe habe auf mich geschossen.

Mein Vater brüllte, daß ich das blödeste Kind auf der ganzen Welt sei. Er schrie: »Wenn ein Tiefflieger kommt, stehst du auf der Wiese und glotzt. Wenn die Russen einmarschieren, stehst du an der Gartentür und tratschst mit dem alten Wawra-Trottel, und wenn ein wahnsinniger, besoffener Russe kommt und in der Gegend herumknallt, dann stehst du daneben und schaust zu!«

Da bekam ich eine große Wut. Weil ich nicht blöd geglotzt hatte und der alte Wawra kein Trottel war und der Schielende nicht wahnsinnig, und ich schrie: »Ich bin nicht blöd! Du bist blöd! Du hast ja immer auf die Russen gewartet, damit der Krieg zu Ende geht und die Nazis verschwinden. Und jetzt sind die Russen da und die Nazis weg, und der Krieg ist aus!«

Mein Vater gab mir keine Antwort.

Weil ich so wütend war, rief ich noch: »Ich war ja nicht in Rußland! Ich war ja kein deutscher Soldat. Ich habe ja keine Russen totgeschossen, ich nicht! Drum muß ich mich auch nicht auf dem Dachboden verkriechen! Ich nicht!«

Meine Mutter wollte mir eine runterhauen. Doch auf dem Dachboden war es sehr eng. Um mir eine runterzuhauen, hätte sie erst über Hildegard und Gerald steigen müssen. Außerdem sagte mein Vater: »Laß sie in Ruhe! Tu ihr nichts. Sie hat ja recht, sehr recht sogar!«

Ich hockte mich in den hintersten Dachbodenwinkel und war beleidigt.

Eigentlich war ich nicht beleidigt. Ich tat nur so.

In Wirklichkeit schämte ich mich. Weil ich meinem Vater die

totgeschossenen Russen vorgehalten hatte. Das war nicht edel von mir. Ich schloß die Augen.

Die anderen unterhielten sich darüber, wo mein Vater am sichersten sei. Oben auf dem Dachboden oder unten im Keller.

Mein Vater behauptete, nirgendwo sicher zu sein. Und er sagte, er habe das Verstecken endgültig satt. Er werde einfach so wie wir vor den Russen herumgehen und sich als kranker Invalide ausgeben, der wegen seiner eitrigen Beine nicht Soldat hatte werden können.

»Und wenn sie das nicht glauben?« fragte meine Mutter.

Mein Vater wußte keine Antwort darauf. Er stieg aber trotzdem vom Dachboden herunter. Er humpelte an einem Stock aus dem Haus und setzte sich auf die Wiese zum Alsbach neben die Gartenzwerge.

»Der Mann hat den Verstand verloren«, stöhnte die Frau von Braun.

Meine Mutter holte einen Besen, kehrte die Glasscherben im Salon auf, schnitt sich dabei ein paarmal in die Finger und sagte auch: »Der Mann hat den Verstand verloren!«

Der Mann hatte gar nicht den Verstand verloren. Der Mann hatte recht. Am nächsten Morgen nämlich kamen wieder russische Soldaten. Sie mußten für ihren Herrn Major Quartier machen. Unser Haus gefiel ihnen, trotz des fehlenden Kronleuchters. Eine Stunde später zog der Herr Major ein. Und noch eine Menge anderer Soldaten zogen auch in unser Haus. Vor denen hätten wir meinen Vater sowieso nicht immer verstecken können. Der Major betrachtete meinen Vater zuerst sehr argwöhnisch und sagte immer wieder: »Du jung! Du Soldat! Du Soldat waren!«

Mein Vater zeigte dem Herrn Major die kranken Beine. Er krempelte die Hosenbeine hoch und wickelte die alten Geschirrtücher, die er statt eines Verbandes um die Beine hatte, herunter.

Die Beine sahen scheußlich aus. Kein Mensch konnte noch erkennen, ob sie von russischen Granatsplittern zerschossen waren oder ob das Knochentuberkulose oder Lepra oder sonstwas war. Auf den Beinen waren große, rote Beulen. Jede hatte in der Mitte ein kleines, gelbes Loch, das mit Eiter gefüllt war. Und die Haut zwischen den Beulen war dunkelblau und glänzend. Die Beine meines Vaters sahen aus wie verfaulte Zwetschken.

Der Herr Major und seine Soldaten waren zufrieden. Sie glaubten meinem Vater. Der Herr Major schenkte meinem Vater sogar eine Schachtel voll Mullbinden und ein Paket Streupuder. Und ein Soldat brachte meinem Vater ein Stoffsäckchen voll Tee, der sehr komisch roch. Darin sollte mein Vater seine Beine baden.

17.
Die Lusthausküche • Der Koch:
Der häßlichste Mensch
Der stinkendste Mensch
Der verrückteste Mensch
Die Stadt Leningrad

Meine Mutter und die Frau von Braun freuten sich sehr über den Major. Einen Major im Haus zu haben, war angeblich gut – wegen der Kronleuchterschießer und der Onkelstehler und der Geraldbetrachter und der Uhrensucher.

Meine Mutter erklärte: »Die gewöhnlichen Soldaten werden sich hüten, im Major seinem Haus Wirbel zu schlagen!«

Der Major war tatsächlich ein guter Fang. Nicht nur, daß er sehr höflich und sehr sauber und sehr schön war. Er hatte auch Tabak und schenkte meinem Vater davon.

Das war gut so.

Wenn mein Vater nämlich keinen Tabak hatte, konnte er sehr grantig und wild werden, fast so wild wie die Großmutter früher.

Der Major wohnte im Schlafzimmer der Frau von Braun. Vor der Schlafzimmertür, die zum Salon hin ging, stand ständig ein junger Soldat und tat irgend etwas an der Uniform vom Herrn Major. Entweder putzte er die Majorsstiefel, oder er bürstete die Majorsjacke, oder er polierte die Majorsknöpfe an der Majorsjacke. Manchmal hockte er auch im Türkensitz vor der Schlafzimmertür und stopfte die Majorssocken. Die Majorssocken waren schwarz. Und der Major wurde sehr böse, wenn der Uniformputzer die schwarzen Socken mit brauner

Wolle stopfte. Die Frau von Braun sagte: »Herr im Himmel! Der Major ist eitel! So ein eitler Mann!«

Sie sagte das aber sehr freundlich. Ich glaube, sie mochte den Major besonders gern. Damals habe ich es nicht bemerkt. Aber wenn ich mich heute daran erinnere, wie die Frau von Braun den Major immer angeschaut hat und wie die Frau von Braun später dann, beim Auszug vom Herrn Major, geheult und der Herr Major der Frau von Braun tröstend auf den Hintern geklopft hat, so ist es sicher: Die beiden waren ineinander verliebt.

Aber das geht mich eigentlich nichts an. Und die Frau von Braun – falls sie noch lebt – würde das heute auch sicher gar nicht mehr wissen wollen.

Gleich nachdem der Major bei uns eingezogen war und meinen Vater inspiziert hatte, inspizierte er den Garten. Er verlangte den Schlüssel zum großen Lusthaus. Er schaute sich im Lusthaus um und ernannte es zur Soldatenküche.

Kurze Zeit später fuhr ein Pferdewagen in unseren Garten. Er fuhr quer durch das Rosenbeet. Die Frau von Braun stöhnte. Sie hatte sich schon sehr auf die ersten Rosen gefreut. Hinten auf dem Pferdewagen war ein großer, schwarzer Herd mit einem riesigen Eisenkessel. Und viele Säcke waren auf dem Wagen. Vorn auf dem Kutschbock aber, da saß einer, der war sonderbar.

Hildegard und meine Schwester kicherten hinter vorgehaltenen Händen. Gerald grinste. Die Frau von Braun sagte: »Du liebes bißchen, das ist aber ein fürchterlicher Gnom!«

Der Mann auf dem Kutschbock war sehr klein. Er hatte einen kugelrunden Bauch, eine Spiegelglatze, dünne Arme, gebogene Beine und schwarze, gekräuselte Haarbüschel hinter den abstehenden Ohren. Er trug eine altmodische Nickelbrille vor den Augen. Er hatte zu wenige, schiefe, verfaulte Zähne im Mund. Seine Haut war gelb und glänzte fett. Er hatte einen Uniformrock an, der aber nicht wie eine Uniform aussah. Einen Revolver oder ein Gewehr hatte er nicht. Der kleine, sonderbare Kutschbockmann hielt mit seinem Fuhrwerk dicht vor dem Lusthaus im Märzenbecherbett. Er kletterte vom Wagen, schaute sich um, schaute uns an, lächelte zaghaft, schüchtern, lächelte schief. Er stand knapp neben mir. Seinen Rock und seine Hose aus grobgewebtem Stoff tupften kleine Dreckklümpchen. Er roch nach Gemüsesuppe und Speck und Tabak und Schweiß. Er roch auch noch anders. Er roch fremd, freundlich fremd. Er schaute mich an. Seine runde Brille schaukelte auf der gebogenen Nase.

Ich schaute ihn auch an. Schaute auf seine fette, glänzende Nase, aus der ein schwarzes Haar hervorlugte. Ich schaute durch seine Brille auf seine Augen.

Die Augen waren hellgrau und winzig klein. Das kam vom Brillenglas.

Ich sagte: »Dos widanija, Kamerad.«

Er nickte mir zu, zwinkerte mit einem Auge. Das winzig kleine runde, hellgraue Auge wurde zu einem winzig kleinen hellgrauen Spalt. Er sagte: »Griß Gott, Frau!« Und zu den anderen sagte er: »Ich werde sein die Koch da hier!« Und dann machte er etwas, das aussah wie ein Knicks.

Meine Schwester meinte nachher, der Koch sei der häßlichste Mensch, den sie je gesehen habe. Hildegard meinte nachher, der Koch sei der stinkendste Mensch, den sie je gerochen habe. Meine Mutter meinte, er sei der verrückteste Mensch, den sie je gehört habe.

Für mich war er jedenfalls der erste häßliche, stinkende, verrückte Mensch, den ich geliebt habe. Ich habe ihn wirklich geliebt, und ich hoffe, er hat es auch gemerkt. Außer mir hat ihn nämlich niemand geliebt, die Russen auch nicht. Die Gutmütigen haben ihn gar nicht angeschaut. Die weniger Gutmütigen haben über ihn gelacht, oder sie haben ihn verspottet. Einmal hat ihm ein betrunkener Feldwebel einen Tritt gegeben, und der Koch ist quer durch seine Lusthausküche geflogen. Bei der Tür ist er liegengeblieben. Seine Brille ist noch weiter geflogen, in den Efeu. Sie war schwer zu finden. Ich suchte eine halbe Stunde nach ihr. Als ich sie endlich hatte, putzte ich sie an meinem Kittel blank und brachte sie dem Koch. Er setzte sie auf, sagte: »Macht nix, macht nix, Frau« und lächelte.

Hinter seinen rosa Regenwurmlippen waren nur vier Zähne zu sehen. Einer oben und drei unten. Sie standen schief und waren grau. Hinter den Zähnen war eine dicke, dunkelrote Zunge. Schön war der Koch wirklich nicht. Ich setzte mich neben ihn auf die Türschwelle, lehnte mich an seinen schmutzigen, nach Suppe riechenden Bauch und sagte: »Macht nix, macht nix!«

Ich saß oft und lange so. Mir gefiel es beim Koch. Auch wenn mich die anderen deswegen für blöd hielten. Ich liebte den Koch, weil er kein Krieg war. Nichts an ihm war Krieg, gar nichts. Er war ein Soldat und hatte kein Gewehr und keine Pistole. Er hatte eine Uniform, aber die war ein Lumpensammlergewand. Er war ein Russe und konnte Deutsch reden. Er war ein Feind und hatte eine sanfte, tiefe Schlafliedstimme. Er war ein Sieger und bekam Tritte, daß er quer durch die Lusthausküche flog. Er hieß Cohn. Er kam aus Leningrad.

Dort war er ein Schneider. Cohn hat mir viel erzählt. Und am Ende hat er immer gesagt: »Macht nix, macht nix, Frau!«

Er hat gesagt: »Bin ich gutes Schneider. Und hab ich noch nie kennen machen neiche Hosen und Jackett. Immer nur flicken! Leute nix haben Geld. Macht nix, macht nix, Frau!«

Er hat gesagt: »Kenn ich schene Frau. Bin schon so lange nix mehr gewesen in Leningrad. Wird geheiraten haben anderer Mann. Macht nix, macht nix, Frau!«

Cohn erzählte viel von Leningrad. Leningrad war sehr weit weg. Cohn holte es her. Ich meinte, Leningrad ganz genau zu kennen: die Frau mit dem grünen Kopftuch, bei der Cohn die Erdäpfel kaufte; den Mann, der sich von Cohn jede Woche einen Knopf annähen ließ; das Haus, in dem Cohn unten im Keller seine Werkstatt hatte, und hinten, neben dem Bügeltisch, war die Wand ganz naß. Ich kannte auch die Familie mit den zwei Söhnen, die an der Universität Medizin studierten, und die, bei denen es einmal in der Woche einen riesigen gebratenen Fisch gab. Ich wußte auch, wie die Tante von Cohn, eine dicke Frau mit zwei Warzen auf der Nase, Gänsespeck räuchert. Nein, nicht räuchert. Sie trocknete ihn an der Luft, auf dem Dachboden.

Ich dachte, ganz Leningrad zu kennen. Doch das war ein Irrtum. Den habe ich erst viel später bemerkt. Ich kannte nur Cohns Leningrad, und das war ein winziges Stück der riesengroßen Stadt.

18.

Der Schimmel
Der betrunkene Vater
Der Budem-chleb-Soldat
Die Engel-Großmutter

Jeden Tag zum Mittagessen gab es Rindssuppe aus den grauen Wuzerln, gekochte Nudeln mit gedörrten Zwiebelfäden darauf und Bohnensalat ohne Essig. Wenn ich deshalb jammerte, wurde meine Mutter böse und schimpfte: »Sei froh, daß du überhaupt etwas zum Fressen hast, andere Leute verhungern jetzt!«

Ich war aber trotzdem nicht froh darüber, weil ich genau wußte: Unten im Kellerversteck sind noch eine Menge Gläser mit Hirsch und Reh und Kompott und Fisolen und Leberwurst. Meine Mutter und die Braun hüteten die Einsiedegläser wie einen Schatz. Das machte Gerald und mich wütend! Schließlich hatten wir das Zeug gestohlen. Wir hatten ein Recht darauf. Nur wir. Sie durften nicht so einfach über unsere Beute verfügen. Sie taten es trotzdem.

Die einzige Möglichkeit, an Rehschlegel – Gärtnerinnenart oder Hirschgulasch 1943 heranzukommen, fand Gerald heraus. Er schlich manchmal in den Keller zum Lebensmittelversteck, holte ein Einsiedeglas heraus und zog dann ein bißchen an der kleinen Gummilasche vom Gummiring zwischen Deckel und Glas. So kam etwas Luft in das Glas, und zwei, drei Tage später war ein zarter Hauch hellgrüner Schimmel oben auf der braunen Soße.

Meine Mutter ging jeden Tag in den Keller und leuchtete mit

einer Kerze die Vorräte ab, ob sich nicht vielleicht eine Maus an den Bohnen-Nudel-Erbsen-Säcken vergriffen hatte. Entdeckte sie dabei den verschimmelten Hirschen oder die grüngetupften Marillen, brachte sie das Glas traurig nach oben. »Schon wieder ein Glas angelaufen«, jammerte sie. »Im Keller ist es zu feucht!«

Wir jammerten mit und zwinkerten uns zu, während meine Mutter vorsichtig den Schimmel von der Soße kratzte; streng bewacht von der Braun, daß sie nur ja nicht zuviel kratzte, kein Fuzerl vom kostbaren Mahl vergeudete.

»Ich bitt' Sie«, sagte die Braun, und man merkte, wie sie schluckte, den Speichel hinunterschluckte, der ihr vor Gier im Mund zusammenlief, »ich bitt' Sie, an ein wenig Schimmel stirbt man nicht!«

Aber die Hirschtage waren rar – eine seltene Abwechslung im endlosen zwiebelbestreuten, ölübergossenen Nudelhaufen.

Manchmal versuchte ich es mit Cohns Küche. Aber sosehr ich Cohn mochte, seine im großen Kessel gekochten Speisen mochte ich nicht. Jeden Vormittag kam ein Soldat auf einem Panjewagen in den Garten gefahren und lud vor der Lusthausküche Lebensmittel ab. Cohn blickte dann kummervoll auf das Zeug, kratzte sich am Hals, dort wo die Bartstoppeln aufhörten und die langen, seidigen Brusthaare begannen, und sagte: »Frau, Frau, was wir heute kochen?«

»Schweinsbraten!« schlug ich vor, wenn unter den Lieferantensachen ein großer Brocken Schweinefleisch war. Wenn der Soldat Kraut brachte, riet ich: »Krautfleisch!«, und wenn er einen Sack Reis brachte: »Reisauflauf!«

Cohn nickte immer begeistert zu meinen Ratschlägen und

fuhr sich mit der dicken, dunkelroten Zunge über die Lippen.
»Frau, Frau! Reis mit gezuckert! Und Eier und Zibebe und
Apfelstückel!«

Seine Nase zitterte vor Freude, als ob er den Vanillezucker
im Reisauflauf schon riechen könnte. Und dann stellte Cohn
einen Riesentopf voll Wasser auf seinen schwarzen Kohleherd.
Und wenn das Wasser kochte, warf er alles, was der Lieferan-
tensoldat gebracht hatte, in den Topf – ganz gleich, was es war.
Außerdem gab er drei Schöpflöffel voll Schmalz und zwei
Handvoll grobes, hellrosa Salz und einen Schöpflöffel voll
Mehl dazu.

Einmal hat Cohn auch einundvierzig Eier – ich habe genau
mitgezählt – in den Topf geschlagen. Da hat das Eiweiß zu
schäumen begonnen, und das Suppenzeug ist immer mehr und
mehr geworden. Es ist über den Topfrand gelaufen und auf den
Herd getropft. Cohn ist verzweifelt um den Ofen herumgalop-
piert und hat mit einem langen Holzlöffel im Suppenbrei
gestochert. Der Schaum ist immer mehr geworden und ist zi-
schend auf der Herdplatte verdampft. Es hat fürchterlich
gestunken.

Ich stand daneben und kicherte: »Macht nix, macht nix!«

Cohn hat eben vom Kochen überhaupt nichts verstanden.
Er war ja auch ein Schneider und kein Koch.

»Warum haben sie denn gerade dich zum Koch gemacht?«
habe ich ihn gefragt.

Cohn hat auf seine dicken Brillengläser gedeutet: »Auge nix
gut zum Schießen!« Cohn hat auf seine plattfüßigen O-Beine
gezeigt: »Füßen gar nix gut zum Marschieren!« Dann hat er
sich auf die Brust geschlagen und gesagt: »Schneider Cohn gar
nix gut für Krieg machen!«

»Macht nix, macht nix!« habe ich geantwortet.

Seit die ersten zwei Russen siebzehnmal dreimal an unsere Haustür geklopft hatten, waren vier Tage vergangen. Nun war unser Haus voll von Russen. Im Lusthaus war Cohn mit der Küche. Im Schlafzimmer der Frau von Braun war der Herr Major. Im Nebenzimmer wohnten sein Uniformputzer und noch ein Soldat, ein rothaariger mit Pusteln im Gesicht. Im ersten Stock war die Feldpolizei. Das waren sechs oder sieben Leute, darunter drei Frauen, drei dicke Frauen mit großen Haarknoten und schwarzen Wollstrümpfen. Sie waren Polizeioffizierinnen. Eine hieß Ludmilla. Sie hatte Löcher in den Wollstrümpfen, aus einem schaute immer eine große Zehe heraus. Ludmilla war die unfreundlichste von allen. Ich ging ihr aus dem Weg.

In der Bibliothek wohnte ein Feldwebel mit vielen Orden. Wenn er betrunken war, sang er laut. Wenn der Uniformputzer an seine Tür schlug, hörte er zu singen auf. Außerdem waren in unserem Haus oft auch Soldaten, die in anderen Villen wohnten. Sie kamen und gingen, wie sie wollten.

Mein Vater hatte es aufgegeben, um mich besorgt zu sein. Er hatte andere Sorgen. Im übrigen war er ständig betrunken. Er konnte nichts dafür. Er mußte trinken, den ganzen Tag und die halbe Nacht. Das kam so: Die Russen hatten doch den Uhrentick. Mein Vater war Uhrmacher. Einer von den Feldpolizisten, der Iwan, brachte meinem Vater Werkzeug zum Uhrenreparieren: einen Drehstuhl, Pinzetten, Zangen, Schraubenzieher, Lupen, Feilen. Er brachte sogar eine große, helle Karbidlampe und einen richtigen Uhrmacherwerktisch. Mein Vater stellte den Werktisch vor das Zimmerfenster – wir hatten jetzt nur mehr ein Zimmer –, und die Karbidlampe hängte er ans Fensterkreuz. Mein Vater saß fast immer dort, hinter einem Uhrengebirge. Russen kamen ins Zimmer, klopften ihm auf die Schulter, warfen Uhren auf den Werktisch, wühlten im Uhrenberg, fanden etwas, was ihnen gefiel, steckten es ein. Mein Vater protestierte nicht mehr. Am ersten Tag hatte er noch versucht, die Uhren der verschiedenen Kundschaften auseinanderzuhalten. Jetzt wußte er aber schon, daß die Kundschaften selber ihre Uhren nicht auseinanderhalten konnten.

Mein Vater saß gebückt, die Lupe ins rechte Auge geklemmt, schaute nur auf, wenn eine Kundschaft ihm auf die Schulter klopfte, ihm die Flasche hinhielt und forderte: »Trink, Kamerad, trink!« Dann trank der Kamerad. Der Kamerad trank alles. Marillenlikör und Rotwein, Weinbrand und Wermut, Birnenschnaps und Slibowitz. Manchmal schwankte der Kamerad auf dem Drehstuhl. Manchmal kugelte dem Kameraden ein Uhrwerk vom Tisch. Dann murmelte der Kamerad: »Scheiße«, und ich holte ihm das Uhrwerk unter dem Tisch hervor. Mein betrunkener Vater gefiel mir.

Und meine Mutter sagte: »Besser *er* sauft das Zeug, als daß es die Russen saufen!« Meine Mutter hatte vor betrunkenen Russen Angst. Betrunkenen Russen wurden schreckliche Dinge nachgesagt. Vielleicht zu Recht, vielleicht zu Unrecht. Wer konnte das schon wissen? Meine Mutter konnte es nicht wissen.

Doch *einen* betrunkenen Russen mochte meine Mutter. Nüchtern, ganz ohne Wein und Schnaps, war er ein gewöhnlicher Soldat. Ziemlich groß, ziemlich breit, ziemlich langweilig. Aber wenn er zu trinken begann und immer weitertrank und nicht aufhörte zu trinken, wurde er sehr traurig. Er erzählte uns dann eine lange Geschichte, die wir nicht verstanden. Nur mein Vater verstand sie; er war ja fünf Jahre lang in Rußland gewesen. Er konnte gut Russisch. Aber er durfte nicht zeigen, daß er Russisch konnte. Denn wer konnte schon Russisch außer deutschen Soldaten?

Der Soldat, den meine Mutter so gern betrunken sah, erzählte also seine lange Geschichte. Dabei weinte er. Zum Schluß schluchzte er: »Budem chleb, budem chleb!«

»Budem chleb« heißt so ungefähr: Brot backen. Der Soldat war Bäcker. Ich wußte von meinem Vater, daß der Soldat in seiner langen Geschichte von dem Dorf erzählte, wo er gelebt hatte. Ich wußte, daß er immer dann zu weinen anfing, wenn er erzählte, wie die deutschen Soldaten seinen Vater totgeprügelt hatten; wegen einer versteckten Sau, die sein Vater nicht hatte hergeben wollen. Manchmal weinte er auch, wenn er von seinen Kindern erzählte. Daß er von den Kindern erzählte, merkte man, denn er zeigte immer, wie groß die Kinder waren. Eines war so groß wie ein Brotwecken, eines war so groß wie unser Tisch, und eines war so groß wie ich. Am meisten aber weinte der Soldat, wenn er »budem chleb« schluchzte.

In dem Augenblick griff meine Mutter ein. Sie klopfte ihm auf die Schulter und sagte auch »budem chleb« und zeigte zur Küchentür. Da stand der Soldat schwankend auf, umarmte meine Mutter und murmelte: »Gutes Frau, gutes, gutes Frau!«

Meine Mutter stützte ihn, führte ihn in die Küche. Sie machte im Herd Feuer. Der Soldat war wieder lustig, lachte, sagte »budem chleb« und trank aus seiner Schnapsflasche. Wenn das Feuer gut brannte, ging er schwankend aus dem Haus zum

Lusthaus. Dort verhandelte er mit Cohn. Wenn es schon Nacht war, rüttelte er so lange an der Lusthaustür, bis Cohn kam und die Tür aufschloß. Dann stritten die beiden. Der Soldat brüllte und schrie. Cohn schüttelte klagend den Kopf und jammerte. Cohn war nie Sieger bei dem Streit, soviel er auch jammerte und sich in der Lusthaustür breitmachte. Der Soldat stieß ihn zur Seite und ging ins Lusthaus. Wenn er wiederkam, trug er einen großen Sack. Er schleppte den Sack zu meiner Mutter in die Küche. Er holte Eier aus dem Sack und Zucker und Mehl und Schmalz. Er erklärte meiner Mutter, daß er nun den herrlichsten Kuchen der Welt backen werde, einen Kuchen, wie ihn nur der Zar einst gegessen habe.

Der Bäckersoldat hat nie einen Zarenkuchen gebacken, sooft er auch gekommen ist. Wenn alle Backzutaten auf dem Küchentisch lagen, hat er glücklich gelächelt und noch einen langen Schluck und noch einen langen Schluck aus seiner Schnapsflasche getrunken. Dann hat er sich an den Küchentisch gesetzt, die Arme auf den Tisch gelegt und den Kopf darauf und ist eingeschlafen. Meine Mutter hat die Lebensmittel weggeräumt, in unser Kellerversteck, zu den Schätzen aus der Leinfellner-Villa. Dabei hat sie immer zufrieden geseufzt. Der Bäckersoldat schlief dann und schnarchte ein paar Stunden lang. Wenn er munter wurde, stolperte er schlaftrunkenblind nach Hause – er wohnte beim Erzengel – und hatte »budem chleb« ganz vergessen.

Der Erzengel übrigens war jetzt recht sonderbar anzuschauen. Sein Gesicht war ständig rußgeschwärzt, und er trug einen bodenlangen Wollkittel, eine zerlöcherte, schmutzige Strickjacke, ein schwarzwollenes Kopftuch und ein graugehäkeltes Schultertuch. Mit so viel Gewand am Leib konnte der Erzengel nicht mehr flattern. Er kroch als dicker, schwarzer Käfer durch den Garten. Die Soldaten nannten den Erzengel »Mamitschku« und tippten sich hinter seinem Rücken an die Stirn. Sie hielten sie für eine verrückte Alte.

Einmal traf ich den Engel am Gartenzaun. Er prunkte nicht mehr mit Haarschleife und Rüschenkleid. Das tat mir wohl. Ich fragte ihn: »Warum rennt denn deine Mutter so saublöd angezogen herum, so irrsinnig komisch?«

Der Engel wippte auf den Fußspitzen, ringelte eine blonde Locke um den Zeigefinger und sagte: »Ich habe keine Mama. Ich habe nie eine Mama gehabt. Ich habe nur eine alte Großmutter!«

Ich starrte den Engel an. Sprachlos.

Der Engel beugte sich dicht zu mir. Sein Mund berührte das Zaungitter. »Wenn du auf Ehrenwort nichts weitersagst«, flüsterte er, »dann sag ich es dir!«

Ich gab bedenkenlos mein Ehrenwort. Der Engel ließ mich schwören, dann erklärte er: »Die Mama hat sich verkleidet, damit ihr die Russen nicht den Busen abschneiden!«

Ich beugte mich auch zum Gitter und flüsterte dem Engel zu: »Aber den alten Weibern geschieht noch was viel Schrecklicheres. Die werden von den Russen zerstückelt und eingesalzen!«

Der Engel rannte davon.

19.

Der Erste Mai • Der wilde Gesang
Der sanfte Gesang • Der Fund

Jeden Tag einmal kroch ich durchs Zaunloch in den Wawra-Garten und schlich zum Gartenhaus. Durch die kleinen, verdreckten Fenster schaute ich dem alten Wawra zu, wie er auf einem wackligen Korbsessel sein Vermischtes sortierte. Tag für Tag. Vom Morgen bis zum Abend. Er hatte bereits einen dikken Sack voll Bohnen und einen voll mit gezuckerten Nudeln. Ich hätte gern mit dem alten Wawra geredet, aber der alte Wawra mochte mich nicht mehr. Er mochte niemanden mehr. Und die Russen schon gar nicht. Weil sie ihm den Herrn Goldmann nicht zurückgebracht hatten.

Der alte Wawra schlief auch im Gartenhaus. Manchmal stand er vor der Gartenhaustür und drohte mit der Faust gegen die Villa hin. Dabei fluchte er. Früher hatte er nie geflucht. In der Villa wohnten dreißig oder vierzig Russen. Am Abend sangen sie oft Lieder. Sie sangen wild und laut. Aber nie falsch. Sie waren betrunken. Wenn die Russen in der Wawra-Villa so wild und laut sangen, ließ mich meine Mutter nicht aus dem Haus. Ich ging natürlich trotzdem.

An einem Abend sangen die Russen in der Wawra-Villa besonders laut. Und die Russen im Erzengel-Haus sangen auch. Sie feierten den Ersten Mai. Unser Major war nicht zu Hause. Er war auf der Kommandantur zur Maifeier. Wenn der Major nicht zu Hause war, waren meine Mutter und die Frau von Braun unruhig und nervös. Ich hockte in unserem Zimmer auf meinem Bett. Meine Schwester lag neben mir und las in der

»Osterhasenschule«. Die »Osterhasenschule« war das einzige Kinderbuch, das wir in der Bibliothek zwischen all den dicken, ledernen Büchern gefunden hatten. Ich konnte das Osterhasenzeug schon auswendig, meine Schwester natürlich auch. Trotzdem riß ich ihr das Buch aus der Hand, schrie, das sei meins, klappte es zu und setzte mich drauf.

Meine Schwester nahm das Streit- und Kampfangebot dankbar an. Ihr war auch langweilig. Sie gab mir eine Ohrfeige. Ich riß sie am Zopf. Mein Vater brüllte, er wolle seine verdammte Ruhe haben, wenn schon endlich der Erste Mai sei und die Iwans feierten und er keine Uhren zu reparieren brauchte. Mein Vater brüllte deswegen, weil er keine Zigaretten hatte. Er hatte eine riesengroße Schachtel mit Tabak, aber das Zigarettenpapier war aus. Er stopfte den Zigarettentabak in die Pfeife, doch das schmeckte ihm nicht.

Ich gab meiner Schwester noch einen winzigen Tritt und stand vom Bett auf. Ich ging zur Tür.

»Wohin gehst du?« fragte meine Mutter. Meine Mutter stand vor einer Schüssel mit warmem Wasser und versuchte, ohne Seife und ohne Waschpulver Unterhosen zu waschen.

»Ich gehe aufs Klo«, sagte ich. Das sagte ich meistens, wenn ich mich davonmachte. Ich schloß die Zimmertür hinter mir und lief zur Haustür. Ich kam an der Küche vorbei. In der Küche war die Frau von Braun und erstaunlicherweise auch der vermummte Erzengel samt Engel. Der Erzengel verkündete gerade: »Frau von Braun, ich muß unbedingt hierbleiben, und wenn ich auf dem Fußboden schlafen muß! Heute sind sie besonders arg! Sie feiern den Ersten Mai und betrinken sich!«

Die Haustür war versperrt. Der Schlüssel steckte zwar von

innen, aber der Schlüssel quietschte laut, wenn man aufsperrte. Ich schlich also in den Salon, wieder an der Küchentür vorbei, und hörte den Erzengel sagen: »Sie haben ein ganzes Faß Rotwein ins Haus geschleppt und drei Wasserkannen voll Wodka! Ich flehe Sie an, geben Sie mir Obdach, liebe Frau von Braun! Ihr Haus steht ja unter dem Schutz vom Herrn Major, und der Herr Major ist ein feiner, gebildeter Mensch, der läßt keine Schandtaten zu!«

Ich kletterte aus dem mittleren Salonfenster und sprang in den Efeu. Ich lehnte mich an die Hauswand, hörte das Singen aus der Wawra-Villa, hörte das Brüllen aus dem Erzengel-Haus. Einmal war es sehr laut, dann wieder ziemlich leise. Das kam vom Wind. Die Hausmauer, an der ich lehnte, war kalt. Ich schaute nach Sternen aus. Sah einen. Hielt ihn für die Venus. Die Venus ist der Morgenstern und der Abendstern, fiel mir ein. Das hatte mir der Großvater erklärt. Der Großvater fiel mir ein. Die Mauer, an der ich lehnte, wurde noch viel kälter. Ich hatte wochenlang nicht an den Großvater gedacht. Ich konnte nicht begreifen, wieso ich nicht an den Großvater gedacht hatte. Da war der Mann im Flugzeug gewesen, der Mann mit der braunen Ledermütze. Und der Großvater war nach Hause gegangen, zur Juli, zur Großmutter. Ungefähr bei der Alszeile mußte er gewesen sein, als ich wegen der Nudeln ins NSV-Heim gelaufen bin und aufgehört habe, an den Großvater zu denken. Kann einer davon sterben, daß man aufhört, an ihn zu denken?

Ich ging zu Cohn. Cohn saß bei Kerzenschein in seiner Lusthausküche. Er saß dort in einer langen, grauen Unterhose und einem langärmligen, grauen Unterhemd. Cohn las ein Stück Zeitung. Er legte das Zeitungsblatt weg, als ich die Lusthaustür aufmachte. »Griß Gott, Frau«, sagte er. Er stand auf, ging zum Schrank und holte ein Stück Wurst heraus. »Magst, Frau?« fragte er.

Ich schüttelte den Kopf. Die Wurst hatte zu viele Fettstükke.

»Magst nix? Macht nix!« sagte Cohn und trug die Wurst in den Schrank zurück. Er lauschte auf das Singen und Brüllen. »Viel trinken, viel singen, nix gut, nix gut«, meinte er besorgt.

Ich sagte: »Macht nix, macht nix!«

Cohn setzte sich wieder an den Tisch, schob die Brille auf die Nasenspitze, schob sie wieder zurück, erklärte: »Gutes Mensch trinkt, wird schlechtes Mensch. Weiß nix mehr, was tun!«

Ich betrachtete Cohns Zeitungsstück. Nicht nur die Sprache war fremd, auch die Buchstaben waren anders. Ich zeigte auf eine große fettgedruckte Zeile. »Cohn, was steht da?«

»Steht da«, sagte Cohn, »daß Krieg bald aus ist!«

Ich rief: »Aber der ist doch schon aus!«

»Ist aus hier«, erklärte mir Cohn, »ist noch nicht aus in ganzes Deitschland! Nazis kämpft noch. Schießt noch!« Er riß einen Papierfetzen vom Zeitungsblatt, rollte ihn zu einem schmalen Trichter und füllte ihn mit schwarzem, bröckligem Tabak. Der bröcklige, schwarze Tabak hieß Machorka. Cohn nahm die Kerze und zündete damit die Machorka-Zigarette an.

»Wenn der Krieg jetzt bald ganz aus ist«, fragte ich, »fahrt ihr dann alle wieder nach Rußland zurück?«

Cohn nickte.

»Freust du dich darauf?«

Cohn schaute mich durch die dicken Brillengläser mit winzig kleinen Augen an. Er zog die Schultern hoch. Die Machorka-Zigarette, eingeklemmt in die untere Zahnlücke, hing über die Regenwurmlippe. Glühende Asche fiel auf Cohns Unterhose.

»Ob du dich freust?« fragte ich noch einmal.

»War fünf Jahre nix mehr zu Hause«, murmelte Cohn, »wird viel anderes sein. Viel, viel ganz anderes sein!«

»Warum bist du nicht bei ihnen?« Ich zeigte in Richtung Wawra-Villa, Richtung Maifeier. »Warum singst du nicht? Warum schreist du nicht? Warum trinkst du nicht?«

Cohn drückte mit seiner dicken, roten Zunge den Machorkatschick aus der Zahnlücke. Der Machorkatschick fiel auf den Boden, glimmte ein wenig und erlosch. Cohn seufzte. »Ich nix trink. Ich nix brüll!«

»Aber singen kannst du doch?«

Cohn lächelte. Und dann sang er. Er sang mit leiser, tiefer Schlafliedstimme. Er sang Wörter, die nicht russisch waren. Ich hätte lange so sitzen mögen, um Cohn singen zu hören. Vielleicht bin ich auch lange so sitzengeblieben und habe Cohn singen gehört.

Ich weiß es nicht mehr. Auf einmal jedenfalls ging die Lusthaustür auf, und Gerald kam herein. Gerald sagte: »Mensch, Christel, deine Mama bekommt gleich einen Schreianfall. Sie sucht dich im ganzen Haus.«

»Na und, soll sie doch«, rief ich.

»Komm schon«, drängte Gerald, »es ist gleich elf vorbei«!

Cohn hatte zu singen aufgehört. Drehte sich eine neue Zigarette. »Frau, Frau«, sagte er, »mußt tun, was Mama will!«

Ich stand fluchend auf und trottete hinter Gerald aus der Lusthausküche.

»Warum rennst denn immer zu dem schiachn Gnom?« fragte Gerald.

»Selber schiacha Gnom!«

»Du, der Erzengel hat sich bei uns einquartiert, mit dem Engel, weil sie Angst haben vor den Russen!«

»Weiß ich längst!«

Aus dem Küchenfenster fiel jetzt nur noch ein schwacher Lichtschein. Die anderen Fenster waren dunkel.

Wir gingen auf das große, schwarze Hausviereck zu. Wir gingen auf das kleine, helle Küchenfensterviereck zu. Im Efeu vor dem Küchenfenster lag etwas Dunkles, Großes und schnarchte. Es war unser ordengeschmückter Feldwebel. Der Feldwebel gehörte nicht zu meinen Freunden. Er hatte unfreundliche Augen. Er hatte schmale, verkniffene Lippen. Er wirkte bedrohlich. Nun aber lag er da mit offenem Schnarchmund und geschlossenen Augen und ahnte nicht, daß ich vor ihm stand und grinsend auf ihn hinunterschaute. Er stank nach Schnaps. Er war hilflos. Das machte mir Freude. Ich hätte gern eine Taschenlampe gehabt, um ihn genauer sehen zu können. Außerdem hätte ich ihm gern in den offenen Mund gespuckt. Doch ich hatte Angst, er könnte davon aufwachen.

Gerald zupfte mich am Ärmel. »Komm weg, komm schon«, flüsterte er. Er flüsterte sehr aufgeregt. »Ich hab was, ich hab was gefunden, komm weg hier, ich zeig dir's!«

Gerald zog mich vom Lichtviereck und vom Feldwebel fort. Er hielt etwas in der Hand. »Ich bin drüber gestolpert«, sagte er. »Sie lag neben dem besoffenen Feldwebel!« Gerald hielt die Pistole vom Feldwebel in der Hand.

116

»Gratuliere«, flüsterte ich ergriffen. Und dann: »Was tun wir denn mit ihr? Wir müssen sie verstecken!«

»Wo?«

»Unterm Efeu!«

»Ne, kommt nicht in Frage«, sagte Gerald, »ich geh dem verdammten Feldwebel nicht mehr in die Nähe. Zum Schluß wacht das Biest noch auf!«

»Vielleicht in dem Schubkarren vom Gartenzwerg?«

Damit war Gerald einverstanden. Wir liefen hinter das Haus auf die Wiese. Es war ziemlich dunkel; wir brauchten lange, bis wir den Schubkarrenzwerg gefunden hatten. Er war umgefallen. Wir stellten ihn wieder auf. Gerald legte die Pistole in den Schubkarren. Ich rupfte Grasbüschel von der Wiese und deckte die Pistole damit zu. Dann schlichen wir zum Haus und kletterten durchs mittlere Salonfenster. Bei der Tür zum Onkelzimmer bewegte sich etwas, dort stand jemand. Ich erschrak fürchterlich.

Ich hätte nicht zu erschrecken brauchen. Es war meine Mutter, die bei der Onkelzimmer-Tür stand. Sie schimpfte nicht einmal sehr. Sie war schon zu müde.

20.

Der kurze Schlaf
Das leere Elternbett • Die Angst
Die Maschinenpistole • Der Feldwebel
Die Ordensabnahme
Die Ordensverleihung

Obwohl Mitternacht längst vorbei sein mußte, schlief ich noch immer nicht. Neben mir, dicht neben mir – denn sie rückte in der Nacht immer nahe an mich heran – knirschte meine Schwester im Schlaf mit den Zähnen. Manchmal schnalzte sie auch mit der Zunge. Hinter mir drehte sich mein Vater fortwährend im Bett herum. Das Bett knarrte. Mein Vater stöhnte. Meine Mutter schnarchte laut. Durch die geschlossenen Fenster drang das Russenfeier-Geplärr. Ich konnte nicht mehr unterscheiden, ob es aus der Wawra-Villa oder vom Erzengel-Haus kam. Ich steckte einen Daumen in den Mund. Er schmeckte nach Gras und Erde. Ich erinnerte mich an die ausgerupften Grasbüschel, an die Pistole. Ich lutschte am Daumen. Er schmeckte bitter. Ich beschloß, eine Bande zu gründen. Eine Bande mit einer echten Pistole. Ich holte mit den Zähnen Erdreste unter dem Daumennagel hervor und schluckte sie. Dann zog ich die Füße hoch und ribbelte mit den Zeigefingern zwischen den Zehen. Bei dieser angenehmen Beschäftigung schlief ich ein.

Ich erwachte, öffnete die Augen und stellte fest, daß es noch dämmrig war. Ich schloß die Augen, drehte mich auf den Bauch, versuchte einzuschlafen, einen Zipfel des schönen, freundlichen Traums wieder zu erwischen. Aber da war Lärm.

Feierten die Russen noch? War das nicht die hohe Kreisch-
stimme vom Erzengel? Ich richtete mich im Bett auf. Schaute
mich um. Das breite Bett, in dem mein Vater und meine Mutter schliefen, war leer. Mein Vater und meine Mutter saßen
auch nicht am Tisch. Sie waren weg. Meine Schwester hockte
im Bett. Sie hatte sich die Decke um die Schultern gelegt und
schaute mich verstört an.

»Was ist denn los?« fragte ich.

Meine Schwester glotzte weiter. Sie hatte vier Finger im
Mund stecken und biß an den Fingern herum. Ich kroch zu
meiner Schwester ins Bett. Ganz dicht zu ihr. Ich fragte noch
einmal, was los sei. Meine Schwester wußte es nicht recht.
Soldaten seien im Zimmer gewesen, als sie erwachte. Böse
Soldaten mit einem Gewehr. Die hätten die Mutti und den Vati
aus dem Bett getrieben.

»Wohin?«

Meine Schwester wußte es nicht. Ich fischte nach meinem
Kleid. Es lag vor meinem Bett.

»Wohin willst du denn?« fragte meine Schwester.

»Nachschauen gehen«, murmelte ich, »der Lärm kommt aus
der Küche.« Ich schlüpfte ins Kleid, merkte, daß ich das Kleid
verkehrt anhatte. Die Nähte waren außen. Aber das war
gleichgültig. Es war sowieso ein scheußliches Kleid.

Hildegard flüsterte: »Du, ich trau mich jetzt nicht aus dem
Zimmer!«

»Ich trau mich nicht hierzubleiben!« gab ich zur Antwort.

Da zog sich meine Schwester auch das Kleid an. Barfuß
schlichen wir aus dem Zimmer, durch den Salon, zur Küchentür. Wir zitterten. Nicht nur aus Angst. Es war ziemlich kalt so
zeitig am Morgen. Die Küchentür war abgeschlossen. Ich

konnte jetzt deutlich hören, daß drinnen in der Küche der Erzengel jammerte. Er jammerte: »Gnade, Gnade...«

Viel lauter aber als die Erzengelstimme war eine Russenstimme zu hören. Die Russenstimme war sehr böse. Ich beugte mich zum Schlüsselloch. Es war nichts zu sehen als ein gelbgrauer Fleck. Einmal war der gelbgraue Fleck ganz nahe beim Schlüsselloch, dann war er wieder weiter weg. Ich begriff, daß jemand in einer russischen Uniform hinter der Tür stand. Ich wollte wirklich nicht in die Küche hineingehen. Ich war nie ein Held. Ich stand aber plötzlich trotzdem mitten in der Küche, und meine Schwester stolperte hinter mir her. Wieso ich plötzlich in der Küche war, ist mir nicht klar. Entweder habe ich beim Schlüssellochschauen die Türklinke angegriffen und die Tür ist aufgegangen, oder der Soldat hinter der Tür hat meine Schwester und mich gehört und die Tür aufgemacht.

Ich stand da und konnte mich nicht rühren, weil ich mich als Kind nie bewegen konnte, wenn ich große Angst, sehr große Angst hatte.

Ich starrte auf die Maschinenpistole dicht vor mir. Die Maschinenpistole hielt der ordengeschmückte Feldwebel. Er saß am Küchentisch. Auf dem Tisch war eine Weinflasche. Der Feldwebel starrte mich an.

Die Maschinenpistole schwankte hin und her. Für mich stand sie aber ganz still. Sie war das einzige, was stillstand. Alles andere in der Küche drehte sich, drehte sich rund um die Maschinenpistole im Kreis. Der Feldwebel, der Herd, die zwei Soldaten bei der Tür, der Küchentisch, die Weinflasche auf dem Küchentisch, das Fenster und die hellblau gekachelte Wand, an der sie alle standen: mein Vater, die Frau von Braun, meine Mutter, jetzt auch schon meine Schwester, Hildegard, der Erzengel, der Engel, Gerald. Ich hörte genau, was in der Küche geredet, gebrüllt, geflüstert wurde.

»Stell dich zu uns! Komm schon her!« sagte mein Vater.

»Aber wir sind doch unterm Schutz vom Herrn Major!« jammerte der Erzengel.

»Was will er denn?« fragte Hildegard heulend.

Und der Feldwebel brüllte, brüllte: »Alle kaputt! Du kaputt! Du kaputt! Alle kaputt!«

Dann spürte ich eine Hand im Genick. Eine Hand mit vielen Schwielen, eine Reibeisenhand. Ich lehnte mich an die Hand. Ich ließ mein ganzes Gewicht in die Hand fallen.

Der Soldat, zu dem die Hand gehörte, sagte leise, sagte dicht bei mir: »Kommen du, hinstellen bei Mama, nix schreien, still sein, nix schrein.«

Ich erkannte die Stimme. Es war die Stimme vom Major seinem Uniformputzer. Ich kannte die Stimme gut. Wir hatten oft zusammen Wörterbuch gespielt. Er hatte gesagt: »Tschto eto taboje?« Ich hatte gesagt: »Was ist das?« Er hatte gesagt: »Eta krowatj.« Ich hatte gesagt: »Das ist ein Bett!« Er hatte gesagt: »Eta kniga.« Ich hatte gesagt: »Das ist ein Buch!« Er hatte gesagt: »Eta wedra.« Ich hatte gesagt: »Das ist ein Kübel!«

Die Hand, die ich kannte, die Stimme, die ich kannte, führten mich zur hellblauen Kachelwand, stellten mich zu meiner Mutter. Meine Mutter legte eine Hand auf meine Schulter. Das mochte der Feldwebel nicht. Die Maschinenpistole zeigte auf meine Mutter. Meine Mutter nahm den Arm von meiner Schulter. Sie sagte und schaute dabei auf die Maschinenpistole: »Der Idiot hat im Rausch seine Pistole verloren und glaubt, wir haben sie ihm gestohlen.«

»Sie ist im Schubkarren vom Schubkarrenzwerg«, sagte ich in die Maschinenpistole hinein.

Ich hatte anscheinend zu leise gesprochen.

Meine Mutter starrte weiter. Der Feldwebel legte die MP auf den Schoß, quer über die Knie, griff nach der Weinflasche, trank, trank, trank. Ich wünschte mir, daß er ewig trinken, nie aufhören sollte. Ich konnte besser atmen, wenn die MP auf den Feldwebelknien lag, wenn der Feldwebel die Augen geschlossen und den Mund mit der Weinflasche verstopft hatte.

Ich sagte noch einmal zu meiner Mutter: »Sie ist im Schubkarren vom Schubkarrenzwerg!«

»So halt doch den Mund«, zischte meine Mutter.

»Sie ist wirklich dort, Gerald und ich...«

»Sei sofort still!«

Ich verstand das nicht. Wir hätten doch die Pistole holen und dem betrunkenen Feldwebel zurückgeben können. Dann hätte er sicher Ruhe gegeben. Warum begriff das meine Mutter nicht? Ich mußte es meinem Vater sagen! Mein Vater stand neben meiner Mutter an der Wand. Außerdem wollte ich sowieso lieber neben meinem Vater stehen. Ich schlüpfte hinter meiner Mutter vorbei und drängte mich zwischen meine Mutter und meinen Vater.

Der weintrinkende Feldwebel bemerkte, daß sich an der Wand etwas bewegte. Er stellte die Flasche weg, griff nach der MP und brüllte wieder. Er war sehr betrunken. Nicht nur die Maschinenpistole schwankte. Der Feldwebel schwankte auch. Der Feldwebel schwankte mit seiner MP sogar in Richtung Tür, wo die zwei Soldaten Wache hielten. Die Soldaten duckten sich. Sie hatten Angst. Ich sagte zum Vater: »Die Pistole liegt im Schubkarrenzwerg!«

Auch mein Vater sagte: »Halt den Mund!«

»Aber wenn ich sie hole?«

»Dann erschießt er dich, weil er unbedingt den erschießen will, der ihm die Pistole gestohlen hat!«

Würde mich der Feldwebel erschießen? Ich schaute dem Feldwebel ins Gesicht. Es machte mir Mühe, ins Feldwebelgesicht und nicht auf die Feldwebel-MP zu schauen. Der Feldwebel hatte kein Gesicht mehr. Er hatte Haare, Augen, einen Mund, eine Nase. Er hatte auch Bartstoppeln und abstehende Ohren. Trotzdem wurde kein Gesicht daraus. Es paßte alles nicht mehr zusammen, zerfiel in einzelne Teile, zerbröckelte, ließ sich nicht wieder zusammensetzen. Von so einem Gesicht konnte man nichts wissen, gar nichts wissen. Ich wollte die Pistole doch lieber nicht holen.

Der Feldwebel trank wieder. Die MP legte er auf den Küchentisch. Dann setzte der Feldwebel die Flasche ab und begann zu heulen. Die Tränen liefen über die Bartstoppelwangen zum Kinn und hielten das zerbröckelte, zerfallene Gesicht wieder zusammen. Der Feldwebel hatte wieder ein Gesicht! Der Feldwebel schluchzte. Ich verstand nicht, was er sagte, verstand nur, daß er immer wieder »Stalin« und »Stalin« und »Stalin« sagte.

Mein Vater hat es mir später erklärt. Der Feldwebel schluchzte, daß das Leben keinen Sinn mehr für ihn habe, seit man ihm die Pistole gestohlen habe, und daß er sich vor Stalin so schäme. Stalin würde furchtbar böse werden über den Pistolenverlust. Stalin würde den Feldwebel vor allen Soldaten, mitten in Moskau bei der großen Parade, degradieren. Vom Feldwebel mit den vielen, vielen Orden zum einfachen Soldaten ganz ohne Orden! Und ein Leben ohne Orden war nichts wert, seines nicht und unseres auch nicht. Dann begann der Feldwebel, alle Orden von seiner Brust zu reißen. Nun brüllte und redete er nicht mehr. Er weinte bitterlich. Die Orden lagen auf dem Fußboden, auf dem Tisch, einer baumelte vom Stiefelrand. Der Uniformputzer bei der Küchentür flüsterte erregt, ratlos, ängstlich mit dem anderen Soldaten.

Mein Vater seufzte, murmelte: »Scheiße, verdammte Scheiße!« und ging langsam zum Feldwebel hin. Der Weg war nur drei Schritte weit. Die drei Schritte dauerten sehr lange. Meine Mutter packte mich an der Schulter. Sie hielt sich fest an mir. Ihre Finger gruben sich unter mein Schlüsselbein, hinterließen dort für Wochen vier blaue Flecken. Ich betete zum Feldwebel. Der Feldwebel war jetzt der liebe Gott. Mein Vater schaffte die drei Schritte. Der liebe Gott hielt ihm die MP vor den Bauch, aber er schoß nicht. Mein Vater zog mit einem Fuß einen Küchenstuhl heran, ganz, ganz langsam. Er begann, auf den Feldwebel einzureden. Leise, sanft und russisch. Zwischen all den Worten, die ich nicht verstand, hörte ich immer wieder »Stalin« und »Stalin« und »Stalin«.

Der Liebe-Gott-Feldwebel ließ die Maschinenpistole sinken, stellte sie zwischen die Beine. Mein Vater setzte sich auf den Küchenstuhl, redete dabei ununterbrochen, ohne Pause, bückte sich, redete weiter, hob einen Orden auf, redete, redete, steckte dem Feldwebel den Orden an die Brust. Der Feldwebel schwankte wieder, wehrte ab, wollte den Orden von der Uniformbrust reißen, tat es doch nicht, ließ sich noch einen Orden anstecken und noch einen.

Mein Vater steckte die Orden behutsam auf die Feldwebelbrust. So wie man zarte Glasglöckchen und Silberkugeln auf einen Weihnachtsbaum hängt. Als alle Orden wieder auf der

Feldwebelbrust waren – bis auf einen, der unter dem Küchentisch lag und den weder mein Vater noch der Feldwebel sehen konnten –, legte der Feldwebel seinen Kopf auf die Schulter meines Vaters. Er murmelte: »Kamerad, Kamerad...« und schlief ein.

Mit einer Hand hielt mein Vater den Feldwebel fest, damit er nicht von den Schultern und vom Stuhl kippte. Mit der anderen Hand holte er die MP zwischen den Feldwebelknien hervor. Der Feldwebel zuckte, brummte etwas, wachte aber nicht auf.

Der Uniformputzer bei der Tür knurrte böse. Er wollte nicht, daß mein Vater die Maschinenpistole in der Hand hielt. Maschinenpistolen gehörten nur in Russenhände. Mein Vater hielt dem Uniformputzer die MP hin. Der Uniformputzer kam langsam näher, packte die MP, riß sie meinem Vater aus der Hand. Er knurrte noch immer. Aber richtig böse war er nicht. Er war nur ratlos. Er war meinem Vater nämlich ziemlich dankbar für die Feldwebelberuhigung. Doch mein Vater hatte so lange und so richtig Russisch gesprochen, daß dem Uniformputzer klargeworden war: Dieser Mann ist ein deutscher Soldat, der jahrelang in Rußland gewesen sein mußte. Vielleicht auch in dem Dorf, aus dem der Uniformputzer stammte und von dem es nun gar nichts mehr gab als ein paar Lehmhüttenruinen.

Der Uniformputzer schaute meinen Vater lange an. Dann schaute er den Soldaten bei der Tür an. Der Soldat bei der Tür nickte. Der Uniformputzer nickte auch, grinste und sagte zu meinem Vater: »Du bist Freund!«

Das hatte ich dem Uniformputzer am Tag vorher beim Wörterbuchspiel beigebracht.

Mein Vater zeigte auf die Maschinenpistole, sagte etwas Russisches. Der Uniformputzer zögerte, doch der Soldat bei der Tür rief: »Da, da!«, was »Ja, ja!« heißt, und da sagte der Uniformputzer auch: »Da, da!« und nahm das Magazin aus der MP und steckte die Munition in seine Hosentasche und lehnte die ungeladene MP an den Küchentisch. Dann stemmte er den Feldwebel vom Küchensessel hoch und stellte ihn auf die Beine. Es war, als ob der Feldwebel keinen einzigen Knochen im Leib hätte. Er sank zu einem gelbgrauen Haufen zusammen.

»Scheiße«, murmelte der Uniformputzer. Dieses Wort hatte ich ihm nicht beigebracht. Das hatte er schon gekonnt.

Der Uniformputzer packte den Feldwebelhaufen unter den Armen, und der Soldat von der Tür kam und packte den Feldwebelhaufen bei den Beinen. Sie hoben ihn hoch. Mein Vater nahm die Maschinenpistole und legte sie quer über die Ordensbrust. Die Soldaten schleppten den Feldwebel in die Bibliothek, in sein Bett.

Mein Vater seufzte. Er wischte sich mit einem Taschentuch die Stirn und den Hals. Das Taschentuch wurde feucht. Mein Vater sagte: »Ich gehe auch ins Bett! Schönen, guten Morgen, die lieben Herrschaften!« und humpelte zur Küchentür hinaus.

21.

Der lebende Vater • *Der tote Vater*
Das Gartenfest • *Die hundsgemeine Lüge*

Meine Mutter hatte noch immer die Finger tief unter meinem Schlüsselbein. Ich merkte erst jetzt, wie weh das tat. Es dauerte eine Zeitlang, bis alle an der hellblauen Kachelwand begriffen hatten, daß die Gefahr vorüber war. Nur zögernd machte die Frau von Braun einen Schritt von der Wand weg. Der Erzengel begann vorsichtig zu schluchzen.

Meine Mutter ließ endlich meine Schulter los. Sie sagte: »Bring mir einen Sessel, sonst fall ich um. Mir ist ganz schwindlig!«

Meine Schwester brachte den Sessel. Sie zitterte.

»Wo ist denn jetzt aber dem Feldwebel seine Pistole wirklich hingekommen?« fragte Hildegard. Ich hätte ihr am liebsten eine runtergehauen! So blöde Fragen zu stellen!

»Im Schubkarren vom Schubkarrenzwerg liegt sie«, sagte meine Mutter und ließ sich auf den Sessel plumpsen.

»Wieso denn, woher wissen Sie denn das?« fragten die Braun und der Erzengel im Chor.

Meine Mutter gab keine Antwort. Ich glaube, ihr war übel. Bei großen Aufregungen wurde meiner Mutter immer übel.

»Wer hat sie denn in den Schubkarren getan?« forschte die Frau von Braun weiter.

Meine Mutter gab wieder keine Antwort. Aber sie schaute zuerst auf mich und dann auf Gerald. Sie schaute bedeutungsvoll. Die Frau von Braun begriff. Der Erzengel begriff auch.

»Also, das ist doch, das ist doch!« rief die Frau von Braun. Sie wußte anscheinend nicht, was und wie das ist. Dann rief sie: »Gerald! Gerald, komm sofort zu mir her!«

Und der Erzengel kreischte: »Ich habe es ja immer gesagt, diese zwei Kinder, diese zwei sind die wahren Teufel, die wahren Teufel sind sie, bringen einen in Lebensgefahr, so etwas Unerhörtes, das gehört ja entfernt aus der Gesellschaft. In Lebensgefahr wegen dieser zwei Teufel!«

Gerald lief quer durch die Küche, geduckt an der Frau von Braun vorbei, die ihn packen wollte, und sprang zum offenen Küchenfenster hinaus. Ich sprang ihm nach. Wir rannten durch den weichen Efeu, über die Wiese zur Lusthausküche von Cohn. Dort war Sicherheit.

Gerald stieß keuchend hervor: »Der Engel hat sich aus lauter Angst angeschissen, der hat neben mir an der Wand gestanden und hat gestunken wie die Pest!«

Ich kicherte.

»Hast du Angst gehabt?« fragte Gerald.

»Spinnst?« rief ich empört und fügte hinzu: »War mir von vornherein klar, daß mein Vater die Sache schaukelt. Der hat vor gar niemandem Angst und vor dem vertrottelten Feldwebel schon gar nicht!«

Gerald nickte zustimmend.

Ich wußte, wie sehr ich log. Ich beobachtete Gerald, ob er auch wußte, wie sehr ich log.

Die Tür von der Lusthausküche war noch zugesperrt. Wir hockten uns auf die Stufe davor. Die Stufe war aus Stein. Der Stein hatte einen Sprung. Im Sprung wuchsen Grashalme. Gerald zupfte einen Grashalm aus und sagte: »Mein Vater, der hat auch nie, nie eine Angst gehabt, überhaupt nie, er ist immer lachend in das Flugzeug gestiegen und hat sich gefreut. Er hat gesagt, das ist ein ganz wunderbares Gefühl.«

Ich wollte von etwas anderem reden. Ich redete nicht gern über tote Väter. Ich sagte: »Cohn schläft noch. Sollen wir ihn wach klopfen?«

Gerald wollte nichts von Cohn wissen. Er erklärte: »Es könnte doch sein, daß mein Vater wiederkommt. So ein Flugzeug, weißt du, wenn es brennt und abstürzt, da findet man ja gar nichts mehr davon, nur so Bruchteile und Brocken. Und wenn es dann vielleicht ein Irrtum war, und mein Vater ist gar nicht geflogen an dem Tag, sondern ein anderer ist für ihn geflogen, dann ist *der* jetzt tot und mein Vater...«

So etwas Blödes hatte ich schon lange nicht gehört. Ich unterbrach Gerald: »Dann hätte dein Vater geschrieben, daß er noch lebt und gesund ist!«

»Aber er kann doch nicht schreiben, er ist ja über England abgeschossen worden. Die nehmen einen Deutschen doch gleich gefangen, da kann er ja nicht schreiben!«

»Zuerst sagst du, er ist vielleicht gar nicht geflogen, sondern ein anderer für ihn, und jetzt sagst du, er ist doch geflogen und in England gefangen! Was soll denn jetzt stimmen?«

Gerald zuckte mit den Schultern, murmelte: »Er kann doch nicht einfach weg sein! Futsch und weg!«

Mir fiel der Berger Schurli aus unserem zerbombten Haus ein. Der hatte trotz ausgehängter Todesanzeige nicht geglaubt, daß sein Vater tot war, sooft ich es ihm auch erklärt hatte. Da war nichts zu machen. Ich sagte: »Kann alles sein! Vielleicht ist dein Vater zur Untergrundbewegung gegangen und kämpft jetzt gegen die letzten Nazis!«

Das gefiel Gerald. Damit war er einverstanden. Er versprach mir, daß sein Vater später, wenn er von den Widerstandskämpfern zurückgekehrt sei, ein riesengroßes Gartenfest geben werde, mit mehreren Torten und sehr viel Kuchen und Himbeersaft. Mindestens hundert Kinder würden eingeladen, und überall in den Bäumen würden Lampions hängen, und Geralds Vater würde als Attraktion im Handstand quer über die Wiese gehen.

«Und woher wird dein Vater den Himbeersaft und die Torten und die Lampions nehmen?« erkundigte ich mich.

»Ach«, rief Gerald, »das ist leicht für meinen Papa. Weißt du, der hat gute Verbindungen, dem sein Freund ist sogar Gauleiter von Salzburg. Und die Oma, die Mama von Papa, die kennt sogar den Göring und überhaupt alle großen Parteimitglieder, da kriegen wir Lampions genug!«

Ich stand auf, klopfte an die Lusthaustür, wollte Cohn aufwecken, wollte nicht länger mit Gerald über den toten Vater reden. Das war ja nicht auszuhalten: ein Widerstandskämpfer mit Gauleiterfreund, der von Göring Lampions bekommt! Ich sagte zu Gerald: »Ich geh jetzt, mich mit Cohn unterhalten! Und was tust du?«

Gerald sah ein, daß ich ihn nicht länger bei mir haben wollte. Er rupfte noch ein paar Grashalme, steckte einen davon in den Mund, stand auf und ging langsam zum Haus zurück. Ich schaute ihm nach, schaute zum Haus, bemerkte, daß der Erzengel mit dem Engel gerade das Haus verließ. Es war doch nichts mit dem Schutz vom Herrn Major. Der Erzengel und der Engel mußten nicht erst aus unserem Garten und über die Straße gehen, um zu ihrem Haus zu kommen. Ein paar Soldaten hatten vor Tagen den Zaun niedergetreten. Der Erzengel kletterte über das Maschendrahtgewirr. Einer der langen, wollenen Erzengelröcke blieb am Draht hängen. Der Erzengel fiel hin.

Cohn war endlich aufgewacht. Er öffnete die Lusthaustür, schaute verschlafen, schnupperte frische Luft.

Der Erzengel, der sich mehr und mehr in das Maschengitter verwickelte, jammerte. Der Engel stand dabei und jammerte auch und versuchte, den Erzengel und die vielen Wollröcke aus dem Drahtzeug herauszubekommen.

Cohn lauschte, legte den Kopf schief, fragte: »Was ist, Frau, ist was, Frau?«

Dann ging er in die Küche zurück, suchte seine Brille, tappte mit den Händen am Tisch herum, bis er zwischen Tabak und Speck und Zeitungsblättern die Brille fand, setzte die Brille auf und kam wieder zur Tür. Jetzt sah er den vergitterten Erzengel. »Armer Frau, armer Frau!« rief Cohn.

Er lief barfuß, nur mit einer langen, grauen Unterhose bekleidet, zum Erzengel hin. Er versuchte, den Erzengel zu beruhigen: »Komm, komm, Frau, komm, komm«, sagte er immer wieder und begann den Erzengel aus dem Drahtgeflecht zu befreien.

Doch die Kuh von einem Erzengel wollte jetzt gar nicht mehr aus dem Draht heraus. Sie krallte sich fest in dem Maschendraht, zog das Drahtgeflecht über ihren Körper, ihr Gesicht und brüllte: »Nein, nein, neineineinein!«

Cohn schaute verwirrt. Ließ davon ab, den Erzengel auszuwickeln, steckte den Zeigefinger in den Mund, weil der Zeigefinger blutete. Er hatte sich an einem Stück Draht verletzt.

Der Erzengel aber brüllte weiter: »Neineineinein-ein-ein, nichticht-icht-icht, Gnadeadeade-ade, nein!«

131

Der Engel brüllte auch schon.

Die Frau von Braun kam aus dem Haus gerannt, stürmte über die Wiese auf uns zu. »Frau Engel, Frau Engel, was ist denn, sind Sie verletzt?« Frau von Braun riß dem Erzengel den schützenden Drahtverhau vom Körper und zog den Erzengel hoch.

Nun stand der Erzengel an die Braun gelehnt. Aus dem Gebrüll war ein Gewimmer geworden.

»Was hat sie denn?« fragte mich die Frau von Braun.

Ich schnitt eine Grimasse und sagte: »Übergeschnappt ist sie halt! Wahnsinnig!«

Die Braun fragte mich ununterbrochen, was los sei. Und dann plötzlich streckte der Erzengel die Hand aus, zitternd, zeigte auf Cohn und jammerte: »Dieses-dieses Schwein, dieses, hat mich überfallen, er-er-er wollte mich, dieser Affenmensch, wollte mich vergewaltigen, ich bin hingefallen, und da dachte er, daß ich wehrlos bin!«

Cohn stand da, mit nichts am Leibe als der grauwollenen Unterhose. Er stand gebückt, geduckt, machte sich ganz klein, als wollte er sich in die Unterhose verkriechen. »Ist nix wahr«, murmelte er, »wollt nur Hilfen machen bei Frau!«

»Ha, Hilfe machen!« kreischte der Erzengel. »Angerührt hat er mich, an die Brust hat er mir gegriffen, ganz wild, wie ein wildes Tier, mit gierigen Fingern!«

Cohn schaute entsetzt auf seine Finger. Schüttelte den Kopf.

»Sie sind wirklich übergeschnappt«, erklärte die Braun und trat einen Schritt vom Erzengel weg.

Das brachte den Erzengel, der noch immer an der Braun gelehnt hatte, aus dem Gleichgewicht. Er schwankte, fing sich

wieder, raffte und ordnete seine Röcke und zog das Wollkopf-
tuch zurecht, packte den Engel an der Hand. »Komm, Kind«,
sagte er, »komm weg von hier, das sind gemeine Menschen,
stecken mit dem Pack unter einer Decke!« Dann zischte der
Erzengel noch der Braun zu: »Volksverräterin, Sie, Majors-
liebchen, pfui!« und lief aus unserem Garten, diesmal zum
Gartentor hinaus.

Die Frau von Braun schaute wild, wollte dem Erzengel etwas nachrufen, hatte den Mund schon offen, da betrat der
Major den Garten. Er schwankte leicht und sang. Seine Maifeier hatte lange gedauert. Die Frau von Braun schloß den
Mund wieder, zupfte sich eine braune Stirnfransenlocke zurecht – das tat sie immer, wenn sie den Major sah – und lief ihm
entgegen.

Ich war mit Cohn allein. Cohn sagte: »Komm, Frau, komm,
ist Zeit, muß machen Koch, Soldaten will Frühstück haben.«

»Die brauchen heute kein Frühstück«, erklärte ich, »die
schlafen ihren Rausch aus. Die werden erst zu Mittag munter!«

Cohn schüttelte den Kopf. »Muß aber trotzdem gehen
machen!«

Kein einziger Soldat kam in die Lusthausküche zum Frühstück. Cohn saß beim großen Kaffeekessel, rührte im Er-
satzkaffee, der nach Suppenwürfeln roch, und sagte traurig:
»Macht nix, macht nix, Frau!« Er meinte nicht den Kaffee, den
keiner wollte, sondern die Sache mit dem Erzengel.

Ich hockte neben ihm, tunkte kleine Maisbrotstücke in die
Kaffeesuppe, steckte sie in den Mund und kaute langsam.
Manchmal sagte ich auch: »Macht nix, macht nix, Frau!«

Doch ich wußte, daß es schon etwas machte, daß es sogar sehr viel machte. Ich wollte Cohn etwas Gutes tun, etwas Freundliches. Alles, was mir einfiel, war: »Macht nix, macht nix, Frau!«

22.
Das Messer im Tisch • Die Ohrfeige
Der Fleischkübel
Der unterirdische Alsbach

Zu Mittag kam der erste Soldat zum Kaffee. Ich war noch immer bei Cohn. Dachte auch nicht daran, nach Hause zu gehen. Meine Mutter hatte zwar ein paarmal nach mir gerufen, auch meine Schwester hatte gerufen, aber ich wollte nicht ins Haus gehen. Ich war nicht neugierig auf ihre vorwurfsvollen Gesichter und ihre bösen Blicke. Und auf Gerald war ich auch nicht gut zu sprechen, weil er schuld an der ganzen Schweinerei war. Und nun tat er bei seiner und meiner Mutter sicher wieder so, als ob er von *mir* zum Pistolenstehlen verführt worden sei.

Cohn sagte: »Frau, Frau, Mama rufen, gehst nix?«

Ich schüttelte den Kopf.

Cohn sagte: »Frau, Frau, mussen tun, was Mama sagen, Kinder mussen tun, was Mama sagen!«

»So halt doch den Mund«, schrie ich, »mussen tun, mussen tun, mussen tun, bääh!« Und dann sagte ich noch und hieb dabei mit Cohns großem Fleischmesser in den Tisch, daß es in

134

der Tischplatte steckenblieb: »Ich mussen gar nix! Überhaupt nix! Ich tu, was ich will! Und sonst gar nix, verstehst!«

»Ja, ja, Frau«, murmelte Cohn und zog das Messer aus der Tischplatte, »nix schrein brauchen, Frau, Cohn kann Frau gut hören!«

Auch mit Cohn war heute nichts anzufangen. Ich ging in den Garten, traf Gerald. Gerald hatte verheulte Augen. »Sie hat mir ein paar runtergehauen, obwohl deine Mama gesagt hat, sie soll mir doch keine runterhauen!«

»Hat's weh getan?« erkundigte ich mich.

Gerald schüttelte den Kopf. »Weh getan hat's nicht, weil sie ja nicht richtig hauen kann! Aber ich laß mir das nicht mehr gefallen! Ich mag sie nicht mehr! Ich hasse sie! Ich gehe fort!«

»Spinnst?«

»Ne, ich spinn nicht. Ich gehe fort. Ich hab einen Freund. Der wohnt auf der Alserstraße. Zu dem geh ich. Bei dem war ich früher oft. Der hat eine liebe Mutter!«

»Und wie machst denn das? Unten an der Kreuzung steht die Militärpolizei. Glaubst, die sagen: ›Guten Tag, lieber Gerald‹ und lassen dich durch? Die lassen keinen durch. Und dich schon gar nicht!«

»Dann geh ich eben unter der Erde! Basta!«

Ich sagte: »Trottel« und ging weg.

»Und ich geh aber doch und komm nicht wieder, nie, nie, nie!« schrie Gerald hinter mir her.

Den Nachmittag über blieb ich im Garten, beim Wawra-Zaun. Die Russen aus dem Wawra-Haus schlachteten im Garten eine Kuh. Ich schaute ihnen zu, wie sie dem Vieh die Haut abzogen und wie sie dann das Vieh zerteilten. Sie hatten eine

Unmenge von Kübeln voll Blut und Fleisch und Leber und Lunge. Ein Russe winkte mir. Er hatte blutverschmierte Hände. Auch sein Hemd und sogar sein Gesicht waren voller Blutspritzer. Ich kroch durchs Zaunloch in den Wawra-Garten. Der blutverschmierte Russe schenkte mir einen Kübel voll Fleisch. Ein anderer Russe warf noch einen Brocken Leber drauf.

Der Kübel war schwer. Ich konnte ihn nicht tragen. Ich mußte ihn hinter mir herziehen. Ich war froh. Mit einem Kübel voll Fleisch konnte ich mich wieder im Haus blicken lassen. Mit einem Kübel voll Fleisch würde mich niemand vorwurfsvoll anschauen.

Ich hatte recht, man liebte mich wieder. Die Frau von Braun nannte mich »Goldkind«. Meine Mutter lächelte liebevoll. Sogar meine Schwester war freundlich. Und mein Vater ernannte mich zum »Oberhofmeister«. Aber mein Vater – das wußte ich – wäre auch ohne Fleischkübel freundlich zu mir gewesen.

Am Abend bemerkten wir, daß Gerald fehlte. Er kam nicht zum Nachtmahl. Er kam auch nicht später. Die Braun begann zu heulen, und Hildegard begann zu beten. Mein Vater suchte den Garten ab. Der Uniformputzer half ihm dabei.

Ich erzählte ihnen von dem Freund auf der Alserstraße, zu dem Gerald gewollt hatte.

Die Frau von Braun lief zusammen mit dem Major zur Kreuzung, zur Militärstreife. Die Soldaten dort erklärten, keinen kleinen blonden Buben gesehen zu haben. Gerald war nicht bei ihnen gewesen. Und durch die Straßensperre war er auf gar keinen Fall gekommen. Es war schon stockfinster. Der Major entschied, weiteres Suchen sei sinnlos. Man müßte bis zum Morgen warten.

»Aber wo soll er denn sein?« fragte meine Mutter. »Er kann doch nicht vom Erdboden verschwunden sein!«

Da fiel es mir plötzlich ein. »Dann geh ich eben unter der Erde! Basta!« hatte Gerald zu mir gesagt. Unter der Erde? Unter der Erde! Ich wußte, wohin Gerald gegangen war! Er war den Alsbach entlang gegangen. Der Alsbach führte um diese Zeit fast kein Wasser. An der tiefsten Stelle war er nicht einmal zehn Zentimeter tief. Gerald war sicher den Alsbach entlang gegangen, bis zu dem großen, ausbetonierten Loch, wo der Alsbach dann unterirdisch weiterfloß, durch Neuwaldegg und Dornbach, unter der Alszeile, durch Hernals, durch die Alserstraße quer durch Wien bis zum Donaukanal. Wir hatten diesen Weg im Spaß einmal besprochen. Damals hatte ich gesagt: »Weißt du, unterirdisch wird die Als immer breiter, weil andere Bäche dazukommen. Die Als wird dann ganz breit. Wenn man auf der Alserstraße durch die Kanalgitter schaut, sieht man sie unten glitzern und hört sie rauschen!«

Und dann hatte ich Gerald noch vorgelogen, daß ich schon oft durch ein Kanalgitter und über eine Leiter in das Alsbachgewölbe hinuntergestiegen sei und daß da neben dem breiten, glitzernden Fluß ein schöner Gehweg gewesen sei.

Gerald hatte damals gesagt: »Da kann man da unten, unter Wien, ja richtig spazierengehen!«

Ich hatte ihm geantwortet: »Klar, einmal habe ich durch den Kanal meine Freundin besucht. Vor unserem Haus bin ich in den Kanal hinuntergestiegen, und vor ihrem Haus bin ich wieder aus dem Kanal geklettert. War einfach sagenhaft toll!«

Warum, verdammt noch einmal, mußte mir denn der Idiot alles glauben! Jetzt steckte er wahrscheinlich irgendwo im Kanal. Und Ratten gab's da auch. Die hatte ich doch durch die

Bombenlöcher auf der Alszeile gesehen. Und eines war sicher: durch ein Kanalgitter konnte er nicht aus dem Gewölbe heraus. So ein Kanalgitter ist viel zu schwer. Um so ein Kanalgitter hochzustemmen, brauchte man mindestens dreimal soviel Kraft, wie Gerald sie hatte.

»Kind, es ist spät«, sagte meine Mutter, »geh ins Bett!«

»Und wasch dich gefälligst«, keifte meine Schwester, »du stinkst ja nach Dreck!«

Ich wäre gern ins Bett gegangen. Hätte mich sogar lieber gewaschen, als ihnen erzählt, wo Gerald war. Sie würden ja doch wieder mir die Schuld geben, würden schrein, daß ich mit meinen Lügengeschichten das arme Kind durcheinandergebracht habe.

Aber vielleicht irrte ich mich doch! Vielleicht war er gar nicht im Alsgewölbe!

Der einzige Mensch, mit dem ich das besprechen konnte, war mein Vater. Ich mußte es ihm sagen, wenn kein anderer dabei war.

Meine Mutter wusch Geschirr. Meine Schwester stand daneben und wusch sich selber. Mein Vater hockte auf dem breiten Bett und drehte sich eine Zigarette.

Vielleicht mußte meine Schwester noch einmal aufs Klo? Sie traute sich am Abend nie allein aufs Klo. Meine Mutter mußte ihr mit einer Kerze den Weg leuchten und vor der Klotür Wache halten. Das Geschirr war gewaschen. Meine Schwester war gewaschen. Sie mußte nicht. Sie stieg ins Bett. Sie stand wieder auf. Sie mußte doch. Meine Mutter holte die Kerze, die auf dem Tisch stand. Wir hatten jetzt viele Kerzen, Ludmilla, die dicke Feldpolizei-Offizierin, hatte meiner Mutter eine ganze Schachtel Kerzen geschenkt.

»Na, gehn wir«, sagte meine Mutter. Sie öffnete die Zimmertür, schützte die Kerzenflamme mit der hohlen Hand gegen den Luftzug und verschwand. Meine Schwester folgte dicht hinter ihr. Ich sprang vom Bett auf und schloß erst einmal die Zimmertür. Mein Vater hatte die selbstgedrehte Zigarette aufgeraucht. Er war schon im Nachtgewand. Sein Nachtgewand war ein alter, hellgrüner Pullover, gefunden in einem Biedermeierschrank der alten Frau von Braun.

Mein Vater beschäftigte sich mit seinen Beinen. Das war immer der Abschluß seines Tagewerks. Er tupfte mit einem Wattebausch (einem kleinen Wattebausch – man mußte sparsam sein, wer wußte denn, ob der Major wieder Watte schenken würde?), tupfte mit einem kleinen Wattebausch den Eiter von den roten Beulen.

»Wird's besser?« fragte ich.

»Na ja«, murmelte mein Vater, »na ja, ich weiß nicht. Die Granatsplitter«, er zeigte auf zwei rote Beulen, »die Granatsplitter da und da sind schon herausgeeitert, aber ich hab zuwenig Verbandszeug und nichts zum Desinfizieren, kommt ja dauernd Dreck hinein, Dreck und Staub, so was müßte steril sein, immer wieder Dreck.«

Ich schlich zu meinem Bett zurück. Immer wieder Dreck! Im Kanal war noch viel mehr Dreck! Zuviel Dreck für die Beine meines Vaters! Das Betonrohr, in das der Alsbach floß, war an der breitesten Stelle ungefähr eineinhalb Meter hoch. Mein Vater maß einen Meter und fünfundneunzig Zentimeter. Er müßte durch das Rohr kriechen, auf seinen eitrigen Beinen.

Anscheinend hatte ich geseufzt.

»Was hast denn?« fragte mein Vater.

»Nichts!« erklärte ich.

»Machst dir Sorgen um Gerald? Der kommt schon wieder! Wahrscheinlich ist er in den Wald gelaufen. Aber es ist ja warm. Dem passiert schon nichts!« Mein Vater wollte einen Spaß machen. »Höchstens, wenn ein Rudel Wölfe kommt oder ein Bär!«

Ich schüttelte den Kopf. »Nein. Der ist nicht im Wald!«

Mein Vater legte den Wattebausch weg, schaute mich interessiert an. »Weißt du, wo er ist?«

»Ich? Nein, ich weiß gar nichts!«

»Du, sei nicht blöd! Wenn du etwas weißt, dann sag's doch, verstehst du, dann mußt du das sagen!«

»Ich weiß es doch nicht, wieso sollte ich es denn wissen?«

Mein Vater nahm wieder seinen Wattebausch, tupfte Eiter. »Reg dich nicht so auf«, sagte er, »ich hab ja nur gemeint, wenn du ...«

Meine Mutter und meine Schwester kamen von der Klotour zurück. »Was ist denn? Was habt ihr denn? Was ist denn los?« erkundigte sich meine Schwester. Sie hatte schon immer eine gute Nase für heikle Situationen.

»Gar nichts ist!« fauchte ich.

»Doch! Du schaust so komisch!«

»Ich? Ich schau nicht komisch! Du schaust blöd!«

»Aufhören«, brüllte meine Mutter, »aufhören mit der Streiterei, gebt Ruh und schlaft ein!«

Meine Mutter spuckte auf Daumen und Zeigefinger und drückte den Docht der Klokerze aus. Es zischte. Die Flamme erlosch.

»Hast du dich gewaschen?« erkundigte sich meine Mutter bei mir. Ich zog mir die Decke über das Gesicht.

»Natürlich hat sie sich nicht gewaschen«, keifte meine

Schwester. »Wo hätte sie sich denn gewaschen? In der Schüssel ist kein Wasser drin, und geholt hat sie auch kein Wasser, während wir auf dem Klo waren. Und die Seife ist ganz trocken!« (Wir hatten seit zwei Tagen ein Stück Seife. Die Polizei-Offizierin Ludmilla hatte es meiner Mutter geschenkt. Es roch ziemlich scheußlich nach Rosen und war violettfarben.)

Ich blieb unter der Decke. Wartete alle fälligen Geräusche ab: das Knarren vom Bett meiner Schwester, das Zischen der erlöschenden Flamme von der großen Kerze auf dem Tisch, das Quietschen vom Bett meiner Mutter.

Jetzt war es ganz still. Ich zog die Decke vom Gesicht. Es war stockfinster, kein Mond vor dem Fenster, keine Sterne. Ich horchte. Schliefen alle? Nein, irgend jemand im Zimmer schlief nicht. Ein Schlafgeräusch fehlte. War mein Vater noch wach? Ich richtete mich im Bett auf.

»Vati?« flüsterte ich. Und noch einmal: »Vati?«

»Pscht, gib Ruh, pscht!« sagte meine Mutter.

Ich legte mich wieder hin, versuchte, mir vorzustellen, wie ich Gerald aus dem Kanal befreite. Wie ich mit einer Laterne in das Alsgewölbe eindrang. Wie ich »Gerald, Gerald« rief und immer weiter vordrang. Das Gewölbe wurde sehr breit, der Alsbach ein riesiger See. Meine Laterne warf glitzernde Lichter auf das lackschwarze Wasser. Von den Gewölbewänden hallte als Echo ein vielfaches »Geraldgeraldgerald« wieder. Ratten schwammen im lackschwarzen Wasser. Ich war sehr mutig. Ich schwenkte meine Laterne. Entsetzliche Schatten zischten über das Wasser. Die Ratten tauchten erschrocken unter. Ich ging weiter. Das Gewölbe wurde immer breiter und das Wasser immer mehr. Brodelnd und schäumend kam es von

allen Seiten auf mich zu. Ich hatte keine Angst. Ich ging mit
meiner Laterne durch das lackschwarze Wasser. Ich hatte hohe
Gummistiefel an und dicke Asbesthandschuhe mit Stulpen bis
unter die Achseln. Ich fand Gerald am anderen Ufer des Sees.
Er wimmerte. Er weinte. Ich hob ihn hoch und trug ihn zurück.
Ich hatte keine Gummistiefel. Ich hatte keine Asbesthandschuhe mit Stulpen bis unter die Achseln. Ich hatte nicht
einmal eine Laterne. Ich wickelte mir die Decke fest um den
Leib und schlief ein.

Es war ganz zeitig am Morgen, es war dämmrig grau, als
mich mein Vater weckte. Er fragte flüsternd: »Willst mitkom-
men? Ich gehe den Gerald suchen!« Ich stand auf, zog mich an.
Ich fror.

»Sei leise«, flüsterte mein Vater.

Die anderen schliefen noch. Ich konnte meine Jacke nicht
finden. Ich zog den grünen Nachtpullover meines Vaters über
das Steppdeckenkleid. Wir schlichen aus dem Zimmer.

»Gehn wir zwei allein?« fragte ich.

Mein Vater nickte.

»Wie spät ist es denn?«

»Grade vier vorüber«, sagte mein Vater.

Vor der Haustür zündete sich mein Vater eine Zigarette an.
»Wo suchen wir denn?« fragte er mich.

Er fragte in einem Ton, als ob er ganz sicher sei, daß ich es
wüßte.

»Im Alsbachgewölbe«, gab ich zur Antwort.

»Ausgezeichnete Idee von dir«, sagte mein Vater.

Ich gab ihm die Hand. Wir gingen über die Wiese zum Alsbach hinunter. Das Gras war naß. Ich hatte keine Strümpfe an.
Auf meinen Beinen waren Tautropfen.

»Wir werden eine Laterne brauchen«, sagte ich.

»Gerald hat auch keine Laterne gehabt«, sagte mein Vater.

»Aber im Kanal ist es ja stockfinster!«

»Kennst du dich so gut aus im Kanal?« fragte mein Vater.

»Nein.«

»Warst schon einmal drinnen im Kanal?«

»Nein.«

»Na, dann red nicht«, murmelte mein Vater.

Wir gingen im Alsbachbett.

»Gut, daß es schon lange nicht mehr geregnet hat«, sagte mein Vater, »sonst müßten wir schwimmen.«

Der Alsbach war ungefähr so breit wie ein dicker Baumstamm und höchstens zehn Zentimeter tief. Mein Vater ging auf der einen Seite, ich ging auf der anderen Seite vom Wasser. Mein Vater sagte: »Im Betonrohr ist es gar nicht so finster, nur die ersten paar Meter. Dann ist oben ein Kanalgitter neben dem anderen. Da kommt genug Licht durch.«

»Aber weiter unten«, sagte ich, »weiter unten, unter der Neuwaldeggerstraße, da muß es doch unheimlich finster sein, da ist nur bei jedem dritten Haus ein Kanalgitter.«

Wir waren schon am Erzengel-Haus vorbei, am nächsten Haus vorbei, ungefähr hinter dem NSV-Heim. Mein Vater sagte: »Ob es unter der Neuwaldeggerstraße finster ist, das ist völlig Wurscht, weil man so weit gar nicht gehen kann. Bei der Atariastraße geht ein Eisengitter quer durch das Betonrohr.«

»Warum?«

»Erstens, damit die Blätter und der Dreck hängenbleiben,

und zweitens, damit man nicht weitergehen kann. Sonst könnte ja jeder mir nichts, dir nichts in den Kanal hineinspazieren!«

»Wieso weißt du denn das?«

Mein Vater lachte. »Ich hab als Bub viel in der Gegend hier gespielt. Wir sind immer zu Fuß von Hernals hergewandert. Und ich wollte immer in den Kanal hinein. Ich hab mir vorgestellt, es müßte ungeheuer aufregend sein, im Alsgewölbe bis nach Hause zu gehen und vor unserem Haus aus dem Kanal herauszuklettern. Blöd, was?«

Wir mußten nicht ins Betonrohr kriechen, wir mußten nicht ins Alsgewölbe einsteigen. Gerald lag vor dem Betonrohr, vor einer großen Brennesselstaude, und schlief. Er lag zusammengerollt, die Knie unter dem Kinn, die Arme um die Beine geschlungen. Sein Kopf lag auf einem Stoffbündel. Das Stoffbündel war die Quasteldecke aus dem Speisezimmer vom Leinfellner-Haus. Ich erkannte sie sofort. Das Stoffbündel hatte eine sonderbare Form. Ich stieß mit der Schuhspitze dagegen. Es klirrte. Ein kleines Leberwurstglas rollte auf die Steine im Alsbachbett, kugelte ins Wasser. Ich holte das Leberwurstglas aus dem Wasser heraus.

Gerald wachte auf. Er war sofort munter, ganz munter. Er starrte uns an. Mein Vater lachte. Gerald sah sehr komisch aus. Er war dreckig im Gesicht, dunkelgraubraun. Nur um die Augen herum waren weiße Ringe. Und die Nasenspitze war rosa. Gerald schien zu frieren. Er klapperte mit den Zähnen.

Mein Vater zog die Jacke aus und legte sie Gerald um die Schultern. Mein Vater betrachtete das Quasteldeckenbündel, schüttelte den Kopf, fragte Gerald: »Menschenskind, hast kein weicheres Kopfkissen gefunden als das Glaslbinkel?«

Gerald schaute bös, weil mein Vater gelacht hatte. Er murmelte: »Klar, ich bin ja nicht blöd, aber ich hab wegen der Ratten drauf geschlafen, damit sie mir den Proviant nicht stehlen!« Er stand auf. Ein hellbrauner Fladen lag dort, wo er gelegen hatte.

Es war einer von Cohns Maisbrotlaiben.

»Schade«, sagte Gerald und hob den platt geschlafenen Brotlaib auf. Er wandte sich meinem Vater zu: »Kann man den noch essen?«

Mein Vater schüttelte den Kopf.

Gerald seufzte.

»Macht nichts«, sagte mein Vater, »Hauptsache, wir haben dich gefunden!«

»Ich geh aber nicht mit euch nach Hause«, erklärte Gerald. Er beutelte die Jacke von seinen Schultern und sagte: »Ich geh jetzt in den Kanal. Ich geh zu meinem Freund!«

»Gerald«, sagte ich, »man kann nicht durch den Kanal gehen, bei der Atariastraße unten ist ein Gitter, da kommt man nicht durch!«

Mein Vater nickte zustimmend. »Man kann überhaupt nicht im Kanal herumgehen«, sagte er.

Gerald schaute mich an. »Aber du hast doch...«

»Ich hab nur Spaß gemacht«, unterbrach ich ihn.

Gerald starrte mich an. »Das war kein Spaß. So ist kein Spaß. Du hast mich, du hast mich«, Gerald wollte auf mich losgehen, »du hast mich hundsgemein belogen!«

Mein Vater hielt Gerald fest.

Gerald brüllte: »Sie hat gelogen. Sie hat gesagt, es geht. Sie hat mich auf die Idee gebracht. Sie hat gesagt, sie ist schon oft... So eine hundsgemeine, so eine blöde Sau!«

Gerald begann vor Wut zu heulen, weil er auf mich losschlagen wollte und nicht konnte. Mein Vater hielt ihn sehr fest.

Gerald brüllte weiter: »Sie schickt mich hinein in den Dreck, in das stinkerte, scheußliche, raschelnde Zeug. Und finster war's und grauslich. Zum Angsthaben war's!« Er zeigte mit der einen Hand, mit der, die mein Vater nicht festhielt, zum Betonrohr: »Viecher waren drin. Und ganz naß ist es. Und gar kein Gehweg war da, und ich hab ihr geglaubt und mir gedacht, morgen in der Früh werd ich den Gehweg schon finden!«

Ich schrie: »Ich hab dich nicht hineingeschickt, ich hab dich wirklich nicht hineingeschickt!«

»Aber gelogen hast du!«

Ich schluckte ein paarmal, dann sagte ich: »Ja, ja! Gut! Ich habe gelogen. Gelogen, gelogengelogengelogen-logen-logen! Bist du jetzt zufrieden?«

Gerald war zufrieden. Mein Vater konnte ihn loslassen.

Mein Vater hob Geralds Jacke auf und das Bündel mit den Leberwurstgläsern. »Na, gehn wir«, sagte er, »führen wir den verlorenen Sohn nach Hause!«

Nach Hause gehen wollte Gerald noch immer nicht.

»Warum nicht?« erkundigte sich mein Vater.

Gerald kratzte mit seiner Schuhspitze im Schotter, murmelte: »Es ist so blöd, so saublöd!« Er scharrte wild, kleine Steinchen spritzten weg. »Wenn man davonrennt, dann kann man doch nicht wiederkommen.«

»Klar kann man!« Mein Vater scharrte auch Steinchen. »Muß man sogar. Warten ja alle auf dich!«

»Und dann glotzen sie so blöd«, maulte Gerald.

»Sie werden nicht glotzen«, beruhigte mein Vater. »Sie werden sicher nicht glotzen!«

»Ehrenwort?«

»Ehrenwort!«

Natürlich glotzten sie. Sehr sogar. Der erste, der uns begegnete, war Cohn. Er jubelte laut, als er Gerald sah. Ich glaube, er pries auch irgendeine Madonna von irgendwo, aber in der Aufregung pries er sie in seiner eigenen Sprache. Ich konnte ihn nicht verstehen. Bei Cohns Jubelgeschrei kamen die anderen in den Garten. Sie waren schon angezogen. Wahrscheinlich wollten sie gerade Gerald suchen gehen. Die Braun stürmte auf Gerald los. Sie umarmte ihn, küßte ihn. Bald war sie genauso schmutzig wie Gerald.

Der Major war auch da. Er riß Gerald von der Braun los, packte ihn, setzte ihn auf seine Schultern und tanzte im Kreis herum. Gerald hielt sich an den Majorshaaren fest. Der Major begann zu singen, laut und lustig. Cohn sang mit. Der Uniformputzer kam aus dem Haus. Er sang auch mit. Der Major hockte sich auf den Boden. Gerald saß noch immer auf seinen Schultern. Der Major begann Krakowiak zu tanzen: Die Ellbogen waagrecht vom Körper gestreckt, die Fäuste unter dem Kinn geballt, hüpfte er in der Hocke von einem Bein auf das andere. Das Bein, mit dem er gerade nicht hüpfte, streckte er steif nach vorn.

Es war herrlich! Ich war begeistert und sehr neidisch auf Gerald. Mir zu Ehren hatte noch niemand so einen Zirkus veranstaltet.

Endlich war der Major so erschöpft, daß er umkippte und sich ins Gras legte. Gerald kippte mit um und kugelte vom Major.

»Komm, Gerald«, rief die Braun, »ich muß dich waschen!«

»Zuerst einmal brauch ich was zu essen«, sagte Gerald und rollte sich über die Wiese dem Haus zu.

Ich brauchte auch etwas zu essen. Aber ich wollte nicht unbedingt dabeisein, wenn sie Gerald feierten und wuschen und liebevoll fütterten. Ich ging zur Lusthausküche. Cohns Kaffee war fertig. Ich fuhr mit einer Blechtasse in den großen Kaffeetopf, füllte die Tasse, suchte nach der Kondensmilchdose, tropfte Kondensmilch in den Kaffee, gezuckerte Kondensmilch, und rührte um. Dann setzte ich mich mit der Blechtasse auf die Türstufe.

23.
Die Erinnerungen an den Großvater
an die Großmutter • an den Sprung
Das Pferd • Der Einfall
Die Geschichten für Cohn

Die Tage vergingen, einer nach dem anderen, alle gleich sonnig, alle gleich anders als das ganz gewöhnliche Leben. Einmal hatten wir Seife, einmal hatten wir keine. Einmal schrien betrunkene Russen, einmal lächelten sie freundlich. Immer hatten wir Nudeln mit Zwiebeln und Bohnen. Selten hatten wir Hirsch.

Manchmal stahl Gerald ein Leberwurstglas aus dem Keller und gab mir davon die Hälfte ab.

Der Major war schön. Der Feldwebel trank. Der Budemchleb-Soldat hatte noch immer keinen Zarenkuchen gebakken. Ludmilla mit dem großen Loch vor der großen Zehe war zur Freundin meiner Mutter geworden. Mein Vater reparierte Uhren und trank Schnaps mit Iwan. Daß er Russisch konnte, fiel nicht mehr auf. Jetzt konnten alle ein bißchen Russisch und alle ein bißchen Deutsch sprechen. Unsere Welt reichte von der Straßensperre bei der Atariastraße bis zur Straßensperre bei der Höhenstraße. Es war eine Welt von einem Quadratkilometer. Das war mir auf einmal nicht mehr genug. Ich wollte mehr. Ich brauchte auch mehr, weil ich immer öfter an den Großvater denken mußte. Auch an die Großmutter. Ich liebte den Großvater. (Die Großmutter wahrscheinlich auch, doch da war ich mir nicht so sicher.) Wenn einer tot ist, den man liebt, ist das schon zum Aushalten. Aber man muß doch zumindest wissen, ob einer, den man liebt, tot ist oder ob er lebt. Ich versuchte, nach dem Großvater zu fragen. Ich fragte meine Mutter. Ich fragte meinen Vater, fragte die Braun. Sie sagten: »Aber freilich, aber natürlich lebt der Großvater noch!« Sie sagten es genauso wie: »Aber freilich, aber natürlich gibt es ein Christkind!«

Ich hörte auf, sie zu fragen. Ich hatte gemerkt: Meine Mutter glaubte ans Christkind. Mein Vater glaubte nicht ans Christkind. Und der Braun war es gleich, ob mein Großvater noch lebte.

Da blieb wieder nur Cohn, Cohn, mit dem man alles bereden konnte, dem nichts gleich war. Er wußte Bescheid, Cohn wußte Bescheid darüber, wo in der Stadt Kämpfe gewesen waren, wo es gebrannt hatte, wo viel geschossen worden war. Cohn sagte, und das tat gut: »Frau, Frau, wo Großvater leben, nix arge Krieg, nix arge Feuer, nix viel kaputt von unseren Soldaten!« Cohn sagte, und das tat gar nicht gut: »Frau, Frau, kann sein, sie haben starken Hunger. Nix haben zu essen, gar nix. Viel Leut nix haben zu essen, haben arg Hunger!«

Ich erzählte viel vom Großvater und der Großmutter. Er war der einzige, der das hören wollte. Cohn gefiel die Großmutter besonders gut. »Gutes Frau, gutes Frau«, erklärte er.

Ich erzählte ihm, wie bös und wie wild die Großmutter werden konnte, und übertrieb dabei gewaltig. Doch Cohn war nicht davon abzubringen, daß die Großmutter »ein gutes Frau« war. Immer wollte ich vom Großvater erzählen, und immer wollte Cohn von der Großmutter hören. Ihm gefiel sogar der ewige Erdäpfelspeiseplan der Großmutter, und daß die Großmutter dem armen Großvater nie warmes Wasser fürs Fußbad bewilligte, störte ihn gar nicht. »Gutes Frauen sind so!« behauptete er.

»Du tätest schon schaun«, rief ich, »wenn sie dich so wild anschaut!«

Cohn lächelte, sagte, so einen Blick sei er gewöhnt. Seine Mutter, die habe auch so einen Blick gehabt und war trotzdem »sehr gutes Frau, was Besseres gar nix geben«!

Cohn machte sich Sorgen um den Riß in der Zimmerdecke der Großmutter. Cohn sagte: »Frau, Frau! Kann sein Sprung in Mauer hundert Jahre, und nix gehen kaputt. Aber darf Sprung nicht breiter sein wie so!« Cohn zeigte drei Finger breit. »Sonst machen Haus tschinbumm!«

Wie breit war der Sprung in der Zimmerdecke? Ich hatte ihn mindestens fünf Finger breit in Erinnerung.

Die Lusthausküche war dicht an den Erzengel-Garten gebaut. Zwischen der hinteren Wand und dem Zaun war ungefähr einen Meter breit Wiese gewesen; früher, bevor die Russen kamen. Jetzt war der Zaun auch hier niedergetreten. Halb im Erzengel-Garten und halb in unserem Garten stand der Panjewagen, mit dem Cohn gekommen war. Das Pferd, das dazugehörte, stand bei den anderen Pferden, unten bei der Kommandantur, in einem Stall.

Cohn ging sein Pferd jeden Tag besuchen. Er brachte ihm Zuckerbrocken und Karotten. Aus dem Gemüsekorb, den der Lieferantensoldat brachte, suchte er immer die schönsten Karotten für das Pferd heraus. Manchmal, wenn er sein Pferd streichelte und bürstete und ihm den Schweif kämmte und auf das Pferd leise einredete, bekam ich eine große Wut. Es kam mir nämlich so vor, als ob Cohn das Pferd lieber mochte als mich.

Einmal, als ich mit Cohn beim Pferd stand – Cohn kämmte die Mähne, und ich kitzelte das Pferd an der Nase –, da sagte Cohn: »Arme Pfertal! Arme Viech, schon nix mehr gelaufen seit wochenlang. Nix gut für Pfertal. Pfertal soll rennen. Pfertal is nix zum Stehnbleiben in Zimmer da!«

Der Stall nämlich, in dem die Russenpferde standen, war der Speisesaal von einem großen, vornehmen Restaurant. Vornehm schaute es allerdings hier gar nicht mehr aus. Die Soldaten hatten die Parkettbodenbretter herausgerissen. Die Wände waren bekritzelt und beschmiert, die Eingangstür fehlte, und das Türloch war mit einer Spitzhacke breiter gemacht worden – damit die Pferde leichter ein und aus gehen konnten.

Als Cohn das vom »armen Pfertal« und vom »nix gut zum Stehnbleiben in Zimmer« sagte, da hatte ich plötzlich einen Einfall. Cohn wird mich mit seinem Wagen und seinem armen

Pfertal zum Großvater in die Stadt fahren! Ja, das muß er tun!

Als ich Cohn erklärte, was er tun müßte, lachte er und sagte: »Gut, Frau, sehr gut, Frau, ich kutschieren, Pfertal trab, trab.« Cohn schnalzte mit der Zunge.

Als Cohn aber merkte, daß ich es ernst meinte, hörte er zu lachen auf. Er hörte auch auf, das Pferd zu kämmen, er sagte: »Frau, Frau, mussen gescheit sein. So was geht nix. Geht gar nix!« Er bohrte mir den Zeigefinger in die Brust. »Du nix dürfen!« Er bohrte sich den Zeigefinger in die Brust. »Ich nix dürfen!«

»Wieso darfst du nicht?« Daß ich nicht durfte, das sah ich ein.

»Weil Cohn ganz, ganz kleines Soldat!« Er zeigte mit dem schmutzigen Zeigefinger und dem dreckigen Daumen eine Spanne von etwa einem Zentimeter. »So kleines Soldat gar nix dürfen. Dürfen nur machen Befehle. Dürfen nur machen, was gesagt werden. Basta!«

»Laß dir das doch nicht gefallen! Mach, was du willst!«

Cohn schüttelte den Kopf.

»Du bist feig!« rief ich.

Cohn lächelte. Sein oberer, grauer, schiefer Zahn teilte die Regenwurmunterlippe genau in die Hälfte.

»Jawohl, feig bist du!«

Cohn fragte: »Was ist – feig? Kenn ich nicht Wort, was heißt feig!«

»Feig ist, feig ist…« Ja, was war feig? Das war schwierig. »Feig ist«, begann ich noch einmal, »wenn man nicht mutig ist, nicht tapfer ist!« Cohn schaute mich verständnislos an. »Feig ist man, wenn man kein Held ist!« sagte ich.

Jetzt begriff Cohn. Er nickte erfreut. »Gut, gut, Frau«, sagte er, »Cohn ist feig, ist sehr feig!« Er schob die Unterlippe über den oberen Zahn und legte den Kopf schief, und der Kopf lag fast auf der Schulter. »Kenn ich viel Held, kenn ich viel totes Held«, sagte er, »aber Cohn lebt!«

Ich ließ nicht locker. Jeden Tag, morgens, mittags, abends und zwischendurch auch noch ein paarmal, bat ich Cohn, mit mir zum Großvater zu fahren. Ich erzählte Cohn die schönsten Geschichten von der Großmutter. Genauso, wie er sie haben wollte. Weil ich nicht so viele Geschichten von der Großmutter wußte, erfand ich welche. Die gefielen Cohn besonders gut. In meinen Geschichten wurde die Großmutter von Tag zu Tag größer und dicker und wilder. Sie packte die Frau Brenner, weil die Frau Brenner »Heil Hitler« sagte, und setzte die Frau Brenner in den großen Mistkübel im Hof. Sie sang mit tiefer Stimme wunderbare Lieder, und einmal tanzte sie sogar auf dem Küchentisch. Außerdem ließ ich sie duftende Schmalzkrapfen backen. Und immer, wenn sie vorher gerade ganz wild gebrüllt hatte, ließ ich sie hinterher ganz sanft lächeln. Dann flüsterte Cohn nämlich: »Wie mein Mama, ganz wie mein Mama!«

Cohns Mama zuliebe stattete ich die Großmutter auch mit einem weißen Haarknoten aus. Dabei war meine Großmutter sehr stolz darauf, nur ein paar weiße Haare zu haben. Alle anderen Haare der Großmutter waren schwarz und dauergewellt. Es gefiel Cohn auch viel besser, wenn meine Großmutter viele Kinder und noch mehr Enkelkinder hatte. Ein Sohn und zwei Enkeltöchter, das war nichts für Cohn. Ich tat ihm den Gefallen. Die Großmutter bekam sieben Kinder und sechsunddreißig Enkel.

»Sechsunddreißig?« Cohn vergewisserte sich. »Zehn und zehn und zehn und sechs?«

Ich sah ein, daß ich zu sehr übertrieben hatte. »Zwanzig«, sagte ich. Damit war Cohn einverstanden.

24.
Der Feldwebel
Der Schuß und noch einer
Der Kampf meiner Schwester

Dann kam ein Tag – ich hielt ihn zuerst für einen Unglückstag, dann für einen Glückstag –, an dem wurde ich durch Geschrei geweckt. Das mochte ich nicht. Geschrei und Gebrüll am Morgen hatten nichts Gutes zu bedeuten.

Der Feldwebel brüllte. Iwan, der Feldpolizist, schrie. Ludmilla kreischte dazwischen. Wahrscheinlich hatte der Feldwebel wieder einmal die ganze Nacht gesoffen und ging nun Iwan auf die Nerven, und Ludmilla versuchte, den Streit zu schlichten.

Ich stieg aus dem Bett. Das Bett meiner Schwester war leer. Meine Schwester lag im breiten Bett zwischen meiner Mutter und meinem Vater, ließ sich streicheln und beruhigende Worte zuflüstern – wegen dem Russengeschrei.

Ein Fenster war offen. Ich setzte mich auf das Fensterbrett. Unter mir war die viereckige Terrasse. Das Geschrei kam aus dem Zimmer hinter der Terrassentür. Es war das Zimmer von Iwan und Ludmilla. Ich beugte mich vor. Die Terrassentür ging

154

auf. Ludmilla lief auf die Terrasse. Sie sah komisch aus. Sonst hatte sie einen großen, braunen Haarknoten im Genick. Jetzt waren ihre Haare offen und hingen bis zu den Hüften. Eine schweinsrosa seidene Unterwäschegarnitur war das einzige Kleidungsstück von Ludmilla. Unter der schweinsrosa Seide wackelten ein ungeheures Busengebirge und ein noch größeres Hinterteil. Ludmilla trat von einem nackten Fuß auf den anderen. Anscheinend war der Terrassenboden kalt. Sie starrte durch die Terrassentür ins Zimmer.

Dann kam Iwan auf die Terrasse. Er hatte überhaupt nichts an. Er war ganz nackt. Das gefiel mir. Noch besser gefiel mir, daß der nackte Iwan den Feldwebel vor sich herstieß. Der Feldwebel war angezogen. Und betrunken war er. Er war so betrunken, daß er nicht stehen konnte. Iwan hielt ihn am Kragen fest. Iwan gab ihm mit dem Fuß einen Tritt ins Hinterteil. Der Feldwebel fiel hin. Iwan zog den Feldwebel am Kragen hoch. Der Feldwebel stand schwankend. Iwan gab ihm wieder einen Tritt. Der Feldwebel stolperte einen Schritt vor und fiel wieder hin. Iwan zog ihn wieder hoch, trat ihn, ließ ihn hinfallen, zog ihn hoch.

So trat Iwan den Feldwebel quer über die Terrasse. Bei den vier Steinstufen, die in den Garten hinunterführten, bekam der Feldwebel einen besonders starken Tritt. Er stürzte die Stufen hinunter und blieb im Efeu liegen. Ludmilla schrie ihm irgend etwas Unfreundliches zu. Sie drohte ihm auch mit der Faust. Ihr Busengebirge wackelte fürchterlich dabei. Iwan spuckte in Richtung Feldwebel, dann gingen die beiden in ihr Zimmer zurück. Ich hörte, wie sie die Terrassentür versperrten. Drehten den Schlüssel zweimal im Schloß um.

Meine Familie erkundigte sich vom breiten Bett her, was

unten los sei. Ich erstattete Bericht. Sie kamen zum Fenster, um den Feldwebel im Efeu zu betrachten.

»Hat er sich den Hals gebrochen? Ist er tot?« fragte Hildegard.

»Leider nicht«, murmelte meine Mutter.

Der Feldwebel bewegte sich nämlich gerade. Er versuchte aufzustehen. Er konnte nicht. Er kroch auf allen vieren durch den Efeu. Dort, wo der Efeu aufhörte, stand eine kleine steinerne Bank. Der Feldwebel zog sich an der Bank hoch, lag zuerst mit dem Bauch auf der Bank, drehte sich um, saß auf der Bank.

»Jetzt schläft er gleich ein«, sagte mein Vater. Mein Vater irrte sich. Der Feldwebel schlief nicht ein, der Feldwebel stand auf. »Geht der Krawall jetzt von vorn los?« schimpfte meine Mutter. »Kann das Luder nie Ruhe geben?«

»Er geht weg!« sagte meine Schwester erleichtert.

Der Feldwebel schwankte den Kiesweg entlang. Er torkelte gegen den Birnbaum, umarmte den Birnbaum, ließ den Birnbaum los, hatte plötzlich eine Pistole in der Hand. Eine neue Pistole. Seine alte, die aus dem Schubkarren, lag unter der Matratze meines Vaters. Er hatte sie aus dem Schubkarren geholt.

Der Feldwebel stieß sich vom Birnbaum ab, die Pistole in der Hand, torkelte weiter.

»Gehn wir vom Fenster weg!« sagte meine Mutter.

»Da trifft er nicht her!« sagte mein Vater.

Ich blieb am Fenster stehen. Ich wollte sehen, wie der Feldwebel zum Gartentor hinauswankte. Aber der Feldwebel ging nicht zum Gartentor. Wo ging der Feldwebel hin?

Das durfte nicht sein! Das war gemein! Cohn hatte ihm doch

gar nichts getan! Was wollte er denn von Cohn? Warum kam er denn immer näher zur Lusthausküche?

Ich packte meinen Vater am Arm. »Will er zu Cohn?« fragte ich.

Mein Vater nickte. »Das schaut ihm ähnlich, dem feigen Arschloch, dem!«

Der Feldwebel stand vor der Lusthausküche, trat mit einem Fuß gegen die Tür. Er brüllte. Die Tür war eine dünne Tür mit einem ovalen Glasfenster in der oberen Hälfte.

Der Feldwebel trat die Tür ein. In der Tür war ein großes Loch, aber nicht so groß, daß der Feldwebel durchkriechen konnte. Der Feldwebel schoß. Er schoß zweimal, schoß auf das Türschloß. Die Tür ging auf. Der Feldwebel verschwand in der Lusthausküche.

»Das kann ich nicht anschaun, das halt ich nicht aus«, sagte meine Mutter. Sie ging vom Fenster weg, setzte sich an den Tisch. Ich ging ihr nach und stellte mich neben sie. Auch mitten im Zimmer war das Brüllen vom Feldwebel zu hören.

Von Cohn war nichts zu hören.

Dann krachte ein Schuß. Und dann noch einer. Meine Mutter hielt sich die Ohren zu.

Mein Vater sagte: »Ein Schuß ist zum Fenster hinaus!«

»Und der zweite?« fragte ich. Ich war erstaunt, daß ich überhaupt reden konnte.

Mein Vater wußte nicht, wohin der zweite Schuß gegangen war. Der Feldwebel brüllte nicht mehr. Es war ganz still im Garten. Meine Mutter nahm die Hände von den Ohren. »Was ist?«

»Es rührt sich nichts!« sagte mein Vater.

»Gar nichts?«

»Gar nichts.«

Ich begann zu weinen. Ich konnte nicht anders.

»Sei doch still«, sagte meine Mutter. »Dir geschieht ja nichts. Der Feldwebel kommt nicht hierher!«

»Cohn«, schluchzte ich, »Cohn!« Mehr konnte ich nicht sagen, immer nur »Cohn« und »Cohn«.

Meine Mutter schaute mich an. Sie hatte einen Daumen im Mund und biß am Daumennagel. Dann sagte sie: »Du hast recht!«

Meine Mutter stand vom Tisch auf und ging zur Zimmertür. Sie sprach, nicht zu mir, auch nicht zu meinem Vater oder zu meiner Schwester, sie sprach zu sich selber: »Alles feige Schweine! Alle! Tun, als hätten sie nichts gehört. Haben Angst, die Herren! Hat wohl Stoppeln in den Ohren, der schöne Helden-Major!«

Mein Vater rief: »Was willst du denn! Sei nicht blöd! Du kannst doch nicht hingehen. Der Idiot knallt dich ab. Sei nicht verrückt!«

Meine Mutter hielt die Türklinke in der Hand. Sie sah nicht so aus, als ob sie Angst hätte. Ich hatte keine Angst um sie. Sie sollte etwas für Cohn tun!

Mein Vater rief: »Wenn er ihn erschossen hat, kannst du auch nichts mehr ändern! Und zwei Schuß hat er auf alle Fälle noch!«

Meine Mutter war schon aus dem Zimmer.

Mein Vater wollte hinter meiner Mutter her, aber meine Schwester hielt ihn fest, klammerte sich an ihn, kreischte: »Nicht, geh nicht weg! Laß mich nicht allein! Bleib hier! Bleib da, nicht!«

Mit einer Hand hielt sich meine Schwester am Pullover des

Vaters fest, mit der anderen Hand hielt sie sich an ihrem Bett fest. Mein Vater versuchte trotzdem, aus dem Zimmer zu kommen. Er zog meine Schwester samt dem Bett ein Stück hinter sich her. Dann verkeilte sich das Bett zwischen dem breiten Bett und dem Tisch.

»Verflucht, laß doch los!« sagte mein Vater.

Meine Schwester ließ das Bett los und krallte sich mit der zweiten Hand in den Pullover. Ich war erstaunt, wie weit und wie lang ein alter, grüner Pullover werden kann. Ich war auch erstaunt darüber, wie kräftig meine Schwester war. Doch ganz genau konnte ich den Kampf zwischen meinem Vater und der Schwester nicht sehen, denn ich stand im Nebenzimmer bei der Tür zum Treppenhaus, und viel mehr noch als der Kampf meiner Schwester interessierte mich, was meine Mutter tat.

Meine Mutter nämlich dachte gar nicht daran, einsam und heldenhaft dumm zum Lusthaus zu gehen und den Feldwebel zu besiegen und nach Cohn zu schauen. Meine Mutter war ins Parterre hinuntergegangen und weckte nun den Major auf und den Uniformputzer und den Rothaarigen, und an Iwans Tür klopfte sie auch. Und dabei schimpfte sie gewaltig. Sie schimpfte deutsch und dazwischen russisch. Und tschechisch schimpfte sie auch. Das konnte sie von unserer böhmischen Hausmeisterin aus der Geblergasse.

Sie schimpfte – alles deutsch übersetzt und ziemlich gekürzt – ungefähr folgendes: »Na, ihr Helden, ihr herrlichen Sieger, ihr Feiglinge, ihr! Was stellt ihr euch denn schlafend, ihr Arschlöcher! Habt ihr so eine Angst vor einem besoffenen Feldwebel! Schämt euch! Verkriechen sich alle! Verkriechen sich vor einem Idioten, der in der Gegend herumknallt! Und was mit dem armen Koch geschehen ist, ist euch wohl ganz

Wurscht! Feiglinge! Und wenn der Koch verblutet, dann seid ihr schuld, daß ihr es wißt. Laßt ihn ruhig sterben, ihr Arschlöcher!«

Je mehr meine Mutter schimpfte, desto lauter wurde sie. Jetzt brüllte sie schon. Sie brüllte sich heiser. Ihr Gebrüll drang auch bis zu meinem Vater und meiner Schwester. Meine Schwester ließ endlich den Pullover los. Der Pullover schlug Wellen. Hinten, dort wo meine Schwester gezerrt und gezogen hatte, reichte er meinem Vater fast bis zu den Kniekehlen, und zwei große Löcher hatte der Pullover bekommen.

Ich lief die Treppe hinunter. Ich stellte mich in den Winkel bei der Kellerstiege.

Meine Mutter brüllte noch immer. Sie war schon ganz heiser. Schön langsam kamen sie aus den Zimmern heraus. Zuerst der Uniformputzer. Er lächelte schief. Meine Mutter schaute ihn wild an. Dann kamen Iwan und Ludmilla, dann die anderen. Der Major kam zum Schluß.

Sie waren alle nicht böse auf meine Mutter. Trotz der vielen Flüche und Schimpfwörter, die meine Mutter gebrüllt hatte. Ich glaube, sie schämten sich vor meiner Mutter. Ich merkte, sie waren nur bereit, zum Lusthaus zu gehen, weil sie sich vor meiner Mutter schämten. Vielleicht schämten sie sich auch voreinander. Für Cohn jedenfalls hätten sie keinen Finger gerührt.

Der Major sprach mit den anderen, erklärte ihnen etwas, fuchtelte mit den Armen in der Luft, gab Anweisungen, tat, als müßte er eine riesige Schlacht vorbereiten. Dann nahm jeder seine Pistole in die Hand (Iwan mußte die seine erst holen). Der Major voran, dahinter, dicht aneinandergedrängt, die anderen, verließen sie das Haus.

Ich lief in den Salon zum mittleren Fenster. Von dort aus war der Garten mit der Lusthausküche gut zu überblicken.

Nun bogen sie ums Hauseck. Der Major winkte den anderen. Er ging langsam den Kiesweg entlang, bis dorthin, wo die Fliederbüsche aufhörten. Dort stellte er sich hinter den Birnbaum, an den sich vor kurzer Zeit der Feldwebel geklammert hatte. Die anderen blieben bei der Hausecke stehen.

Der Major schrie zur Lusthausküche hinüber. Er schrie so etwas Ähnliches wie: «Komm heraus, komm sofort heraus, du Hund! Und laß die Pistole fallen!» In der Lusthausküche rührte sich nichts.

Der Major duckte sich, sprang geduckt vom Birnbaum hinter die japanische Tanne und brüllte wieder. Er war jetzt dem Lusthaus um einen Meter näher, aber noch immer zehn Meter davon entfernt.

Die anderen schlichen von der Hausecke zu den Fliederbüschen, lauerten dort mit gezogenen Pistolen.

In der Lusthausküche rührte sich nichts.

Das konnte noch ewig dauern, bis der Major so von Baum zu Baum gesprungen war. Und was würde er die letzten vier Meter machen? Da war nämlich kein Baum mehr, nur ein Märzenbecherbeet.

Sie ließen sich Zeit. Sie ließen sich viel zu lange Zeit. Sie konnten sich ja auch Zeit lassen. Sie hatten viel Zeit, den Feldwebel zu fangen. Was mit Cohn war, war ihnen ja gleichgültig. Sie mochten Cohn nicht. Sie liebten ihn nicht. Ich liebte Cohn!

Ich ging vom Fenster weg, ging durch den Salon, durch das Vorhaus zum Haus hinaus. Niemand sah mich. Niemand scherte sich um mich. Die einen starrten auf die Lusthausküche, die anderen im Haus starrten auf die, die auf die Lusthausküche starrten.

Ich lief über die Wiese zum Alsbachbett, lief im Alsbach mitten im Wasser, das war mir jetzt ganz gleich, bis in den Erzengel-Garten. Ich kroch durch die Ribiselstauden, über den niedergetretenen Zaun, dort, wo früher der Engel immer mit dem Puppenwagen spazierengegangen war, kroch auf allen vieren weiter bis hinter Cohns Panjewagen und unter dem Panjewagen durch zur hinteren Wand der Lusthausküche. Dort war nämlich ein kleines Fenster. Ich wollte mich vorsichtig aufrichten und zum kleinen Fenster hineinschauen. Ich wollte aber doch wieder nicht. Ich hatte Angst, drinnen einen toten Cohn liegen zu sehen.

Ich richtete mich auf – und erschrak.

Nicht vom Lusthausfenster her, nein, hinter mir, knapp hinter mir sagte Cohn: »Frau, Frau, pscht, Frau, komm! Bist du es, Frau?«

Cohn hockte auf seinem Panjewagen. Er hockte dort in der grauen Unterhose, eine Gänsehaut zwischen den Seidenhaaren auf der Brust. Er flüsterte: »Bin raus bei Fenster, wie Idiot hat kaputtgemacht Tür!«

Ich kletterte zu Cohn auf den Wagen. »Ist dir kalt?« fragte ich.

»Macht nix, macht nix, Frau.« Cohn lächelte. »Kann dich nix sehen«, sagte er, »nur helles Flecken!«

Cohn hatte keine Brille auf.

»Augenglas drin auf Bett«, erklärte er mir.

Von drüben, über den niedergetretenen Zaun, über die Ribiselstauden, über die Lusthausküche kam die Stimme vom Major. Er versuchte, den Feldwebel aus der Lusthausküche zu locken. Der Major war jetzt sicher schon drei Meter näher an der Lusthausküche.

»Wird der Feldwebel schießen?« fragte ich Cohn.

Cohn wiegte bedächtig den Kopf hin und her. »Kann man nix sagen, weiß man nix!«

25.

Eintopf überall · Der Abtransport
Die Brille · Die bösen Wörter
Der Einfall · Die Halsweh-Bauchweh-Lügen
Die unbekannten Schutthaufen

Der Feldwebel schoß nicht. Iwan gab das Entwarnungssignal. Iwan hatte die Majors-Methode zu lange gedauert, er war mit entsicherter Pistole quer durch das Märzenbecherbeet galoppiert. Als er die Lusthaustür erreicht hatte und durch die zerbrochene Tür schaute, begann er zu lachen. Er winkte den anderen und konnte sich gar nicht beruhigen.

Ich kletterte vom Panjewagen und zog mich am hinteren Fenster der Lusthausküche hoch. Es war wirklich zum Lachen! Der Feldwebel lag auf dem steinernen, rot-weiß karierten Fußboden. Er schlief und war über und über voll Nudeln und Karottenscheiben und Kohlblättern und Bohnen. Seine Uniform war naß-fett-dunkel. Neben dem schlafenden Feldwebel lag Cohns umgestürzter Suppeneintopf-Kessel, und auf dem Feldwebelbauch lag Cohns großer Holzlöffel.

Iwan tappte vorsichtig durch die fette, glitzernde Eintopfpfütze. Er bückte sich und holte den Feldwebelrevolver aus der Suppensoße, schüttelte die Nudeln und Bohnen vom Revolver und steckte ihn in die Tasche. Dann hob er einen Fuß, holte aus, holte weit aus und gab dem Feldwebel einen Tritt. Iwans Stiefel traf den Feldwebel in die Rippen. Der Feldwebel stöhnte, machte die Augen auf, schaute, sah nichts, begriff nichts, wischte mit einer Hand Fettsuppe und Bohnen aus den Augen, von den Wangen, begriff noch immer nichts, fluchte, stand auf, rutschte aus, fiel hin, versuchte wieder einzuschlafen.

Nun kam der Uniformputzer in die Küche. Er packte den Feldwebel an einem Arm. Iwan packte den Feldwebel an einem Bein. Sie schleppten ihn aus der Küche. Ich sah, wie der Kopf vom Feldwebel über den Steinboden schleifte, die Nase durch den Eintopf fuhr, die Stirn gegen die Türstufe schlug.

Iwan lachte. Der Uniformputzer lachte auch. Sie schleppten den Feldwebel weiter. Der Feldwebelkopf hing nach unten in den Kies. Sand und Staub und kleine Steine blieben am fettnassen Gesicht kleben. Dazwischen war Blut. Sie schleppten den Feldwebel zur Kommandantur in den Arrest.

»Schade«, sagte ich nachher zu Cohn, »schade, daß du das nicht gesehen hast.«

»Nix is schad, was ich nix hab gesehn!« antwortete Cohn.

Ich versuchte, Cohn den Suppenfeldwebel zu schildern.

Cohn schüttelte den Kopf. »War nix soviel Gemüse in Suppen, wie du sagen, das war auf Serge.«

Serge, so hieß der Feldwebel.

»Tut er dir vielleicht auch noch leid?« fragte ich.

Cohn wußte nicht, ob ihm der Feldwebel leid tat. Cohn bat mich, seine Brille zu holen.

Ich suchte die Brille. Sie war nicht im Bett. Sie war unter dem Tisch. Ein Brillenbügel war verbogen. Ein Glas war zersprungen. Es hatte drei Sprünge, und dort, wo sich die drei Sprünge trafen, war ein kleines Loch im Glas. Der Feldwebel oder Iwan mußte auf die Brille getreten sein.

Diesmal sagte Cohn nicht »macht nix, macht nix, Frau«. Er versuchte, den Bügel geradezubiegen. Dabei brach der Bügel in der Mitte durch. Anklagend, fast weinend, hielt mir Cohn die Brille hin.

»Macht nix, macht nix«, sagte ich.

»Macht schon was, sehr was!« erregte sich Cohn. »Glas hin, Stangl hin, geht nix zum Sehen!«

Es ging dann doch. Cohn klebte sich mit einem Stück Leukoplast den abgebrochenen Brillenbügel auf die Wange. So hielt die Brille. Den Vormittag über lief Cohn jammernd und fluchend mit einer Hand vor dem zerbrochenen Brillenglas herum.

»Tu die Hand weg«, sagte ich, »das Auge tut dir doch nicht weh!«

»Was sagen, nix weh! Freilich nix weh! Aber mit offenes Aug ich nix seh! Auch nix auf anderes Hälften nix seh!«

Der Uniformputzer versuchte Cohn beizubringen, wie man ein Auge offenhält und das andere zukneift.

Cohn übte es eine Stunde, aber er schaffte es nicht. Dann wurde es ihm zu blöde.

Er holte sich noch ein Stück Leukoplast von Ludmilla und klebte sich damit das Auge hinter dem zerbrochenen Glas zu. Ich fand ihn herrlich so. Der Engel allerdings bekam einen Schreikrampf, als der zugeklebte Cohn plötzlich hinter einer Ribiselstaude auftauchte.

Am Nachmittag wollte ich mich mit Cohn unterhalten. Es gelang mir nicht. Cohn ging mir aus dem Weg. Mindestens zehnmal fragte ich ihn: »Du, Cohn, du brauchst doch jetzt eine neue Brille, oder?« Cohn grunzte nur und gab keine Antwort.

Am Nachmittag wusch Cohn seine Socken und sein Hemd. Ich war verstört. Socken und Hemd hatte Cohn noch nie gewaschen. Ich zeigte allen die nassen Wäschestücke auf der Leine im Lusthausküchenfenster, doch niemand interessierte sich dafür. Sie begriffen nicht, daß Cohn etwas ganz Besonderes vorhaben mußte, wenn er Socken wusch. Und falls sie es doch begriffen, war es ihnen gleichgültig.

Am Abend entdeckte ich, daß Cohn in der Lusthausküche hockte und mit stinkendem Salmiakwasser und einer Bürste an seiner Uniformjacke herumfummelte.

Ich setzte mich zu ihm.

»Wie geht's, Frau, geht's?« fragte er. Aber warum er seine Socken gewaschen hatte und gerade seine Jacke bürstete, sagte er nicht. Wütend ging ich ins Bett. Ich schimpfte vor mich hin und murmelte: »Ich scheiß auf einen Freund, der mit mir bös ist, nur weil seine Augengläser hin sind!«

Mein Vater behauptete, daß Cohn gar nicht böse auf mich sei.

»Aber er sagt mir doch verdammt nicht, warum er Socken wäscht!«

»Na und«, erklärte meine Mutter, »was geht es denn dich an, warum er Socken wäscht?«

»Mich geht aber verdammt alles was an!«

»Na klar, na klar«, höhnte meine Schwester, »sie geht alles was an, natürlich!«

Ich warf ihr die »Osterhasenschule« an den Kopf. Sie brüllte, ihr Nasenbein sei gebrochen.

»Einen Arsch ist dein Nasenbein gebrochen!«

Meine Mutter begann zu schreien, daß ich mir sofort, aber sofort! diese ordinären Ausdrücke abgewöhnen müsse, weil ich sonst nicht besser sei als ein ganz, ganz ordinärer Bierkutscher.

»Alle sagen Arsch und Scheiße«, rief ich.

»Ich nicht«, sagte meine Schwester.

»Nein, du nicht, du Arsch«, schrie ich.

Und dann schrie ich weiter »Arsch, Arsch, Arsch«, so lange, bis mir meine Mutter eine Ohrfeige gab. Dann schüttelte ich mein Kissen zurecht, schluchzte ein bißchen, obwohl die Ohrfeige nicht weh getan und nur ein Haarbüschel gestreift hatte, wickelte mir die Decke um den Bauch und schloß die Augen.

Mit Genugtuung hörte ich, daß mein Vater mich verteidigte und meiner Mutter erklärte, daß wirklich alle im Haus »Scheiße« sagten, sogar sie selbst, wenn der Ofen qualmte oder der Feldwebel zu laut brüllte. Dann hörte ich noch, wie meine Mutter erklärte: »Egal! Sie muß sich das abgewöhnen. Die Zeiten, die werden langsam wieder normal werden, und wenn dann die Schule anfängt, kann sie doch nicht so reden!«

»Dann wird sie schon aufhören damit!« murmelte mein Vater. Ich schwor mir, nie damit aufzuhören und nie mehr in die Schule zu gehen und alles dazu zu tun, daß die Zeiten nicht mehr normal würden.

Ich beschloß, nie mehr normale Zeiten zu wollen.

Als ich munter wurde und mit geschlossenen Augen die morgendlichen Geräusche sortierte, waren da etliche unbekannte, ungewohnte dabei. Zwischen dem Amselgezwitscher und Ludmillas Gekeife und Geralds Pfeifversuchen schnaubte etwas und trampelte. Ich lief zum Fenster – und wußte, warum Cohn Socken gewaschen und seine Jacke gebürstet hatte.

Cohn kam über den Kiesweg: rasiert, gewaschen, gekämmt und frisch verklebt. Und hinter ihm kam sein Pferd. Cohn führte es an der Lusthausküche vorbei zum Panjewagen.

Cohn wollte wegfahren!

Ich schlüpfte in das Steppdeckenkleid, zog in der Eile die Unterhose meiner Schwester an. Die Unterhose baumelte, weil sie zu groß war, ekelhaft zwischen den Beinen.

Cohn spannte das Pferd vor den Wagen, als ich bei ihm ankam. »Cohn, wo fährst du hin?« fragte ich.

»Fahr ich in Stadt hinein«, seufzte Cohn. Er holte aus der Uniformtasche einen Zettel. Darauf war etwas in fremden Buchstaben geschrieben.

»Muß ich in Lazarett«, sagte er und klopfte auf den Zettel. »Krieg ich gemacht in Lazarett neues Augenglas für wieder schauen können!«

Der Schuft! Nun war mir klar, warum er gestern nicht mit mir reden wollte. Weil er gestern schon ganz genau gewußt hatte, daß er heute in die Stadt fahren würde, und weil er ebenso genau gewußt hatte, daß ich da unbedingt mitfahren wollte. Und darum schüttelte er auch jetzt schon den Kopf, obwohl ich noch gar nichts gesagt hatte, und jammerte: »Frau, Frau, geht nix, nix zu machen, will nix, darf nix, is nix gut!«

»Aber meine Großmutter?« rief ich. »Cohn, meine Großmutter! Du magst meine Großmutter doch auch so gern. Ich muß doch zur Großmutter!«

Cohn flüsterte: »Werden schon schaun auf Großmutter. Dein Papa haben geschrieben Weg für mich!«

Cohn holte einen Zettel aus der Hosentasche. Darauf war eine Skizze von Hernals: die Hernalser Hauptstraße und die Kalvarienberggasse und ein roter Punkt, dort, wo unser altes Haus war.

Cohn zeigte auf den Panjewagen. Hinten auf dem Wagen lagen ein paar alte Decken. »Drunter is Sack für Großmutter. Hat dein Mama vollgepackt, mit Essensachen für Großmutter, wenn Großmutter noch da sind, was aber sicher sind, daß noch da sind!«

Cohn fütterte das Pferd mit einer Karotte.

»Ich will mitfahren!« erklärte ich.

Cohn schüttelte stur den Kopf. »Niemand mitfahren, niemand mitnehmen dürfen!« Und dann tröstend: »Abend ich wiederkommen, bring Grüß von das Großmutter und das Großvater und bring neues Augenglas!«

Die Karotte war verfüttert. Cohn lief zum Haus. Er brauchte von Iwan noch einen Stempel auf das Papier mit den fremden Buchstaben.

Als Cohn um die Ecke verschwunden war, kletterte ich hinten auf den Wagen. Ich hob die Decken vom Essenssack, schaute in den Sack. Nudelpakete waren drin und eine Flasche Öl und Bohnen, und zwei Leberwurstgläser sah ich auch. Ich legte mich neben den Sack und zog die Decken über mich. Ich wartete. Die Decken waren kratzig und staubig. Sie rochen nach Hund und kitzelten in der Nase.

Ich hörte den Kies auf dem Weg knirschen, dachte, Cohn käme, und hielt die Luft an, aber es war Gerald. Er kam zum Wagen, rief dabei in den Engel-Garten: »Engel, Bengel, blö-

169

der Tulpenstengel, bäh!« Dann hob er die Decke und fragte: »Was tust du denn da?«

Ich hatte bis jetzt nicht recht gewußt, was ich da tat. Eigentlich hatte ich nur darauf gewartet, daß Cohn kam, mich entdeckte und vom Wagen jagte. Doch nun sagte ich: »Verschwind, deck mich zu, Cohn darf mich nicht bemerken!«

Gerald kletterte auf den Wagen und stopfte die Decken um mich herum. »Cohn kommt«, flüsterte er plötzlich, und ich hörte ihn auf die Erde springen.

Cohn kam näher. Der Wagen machte einen Ruck, fuhr nach hinten, Cohn rief: »Hoijoooo« und: »Brrrr«, der Wagen rumpelte, wackelte, etwas Hartes aus dem Sack plumpste mir gegen den Kopf. Anscheinend fuhr Cohn mit zwei Rädern im weichen Tulpenbeet und mit zwei Rädern auf dem Kiesweg. Dann war er ganz auf dem Kiesweg. Der Wagen hielt, nachdem Cohn wieder »brrr« gerufen hatte. »Ich mach Ihnen das große Tor auf«, hörte ich Gerald rufen. Das große Tor quietschte. Ich stupste die Decken von meiner Nase, damit ich besser atmen konnte.

Cohn bog in die Straße ein. Jetzt rumpelte nichts mehr. Ich merkte, daß wir bei der Kommandantur waren, denn der Soldat von der Straßensperre rief Cohn etwas zu und lachte, und Cohn lachte auch und rief etwas zurück.

Lange wollte ich nicht mehr unter dem stickigen Zeug bleiben. Ich vergrößerte mein Atemloch zu einem Guckloch. Wir waren schon bei der Endstation der Straßenbahn. Ich beschloß, bis zur Hernalser Hauptstraße unter der Decke zu bleiben. Dann würde Cohn sicher nicht mehr umkehren und mich zurückbringen.

Es dauerte verflucht lange. In meiner Erinnerung war der Weg viel kürzer. Endlich sah ich über mir grüne Zweige. Das waren die Alleebäume auf der Hernalser Hauptstraße. Ich steckte den Kopf aus dem Deckenberg. Sagte zögernd: »Cohn« und noch einmal: »Cohn!« Cohn hörte mich nicht. Er saß vorn und sang leise. Ich kroch aus den Decken. Cohn drehte sich um. Er starrte mich an.

Ich versuchte, unschuldig zu lächeln. »Cohn, ich bin hinten auf dem Wagen eingeschlafen, und als ich wieder aufgewacht bin, bist du schon gefahren.« Ich kroch nach vorn, setzte mich auf den Kutschbock neben Cohn. »Laß mich einmal!« Ich wollte nach den Zügeln greifen.

»Nix, Frau, nix«, schimpfte Cohn. »Du mir machst Ärger, viel, viel Ärger! Was soll ich machen mit dich? Sag?«

»Du bringst mich zum Großvater und zur Großmutter. Und am Abend holst du mich, mit den neuen Augengläsern.«

»Und wenn Großmutter nix dasein?«

»Ach, die ist sicher da.« Ich schaute auf die zerschossenen Häuser neben der Straße. »Einkaufen kann sie ja nicht gehen, und arbeiten kann der Großvater auch nicht gehen.«

»Wenn aber gar nix mehr dasein?«

»Cohn«, sagte ich und packte ihn am Ärmel, ganz fest am Ärmel, »Cohn, du hast doch immer gesagt, daß sie sicher nicht tot sind, du hast es mir versprochen!«

Cohn machte eine Kummerfaltenstirn und zuckte mit den Schultern. »Versprochen ich hab? Hab ich doch nix versprochen!«

Und dann: »Kann doch nix versprechen, daß Leuten leben. Hab gewunschen, verstehst du, gewunschen!« Und nach einer Weile: »Na, Frau, werden ja bald sehen können!« Mehr sagte

Cohn nicht, und ich hatte auch keine Lust, noch etwas zu sagen.

Zweimal wurde Cohn von einer Feldpolizeistreife angehalten und mußte sein Papier mit Iwans Stempel herzeigen. Und jedesmal zeigte er auf sein kaputtes Brillenglas, und dann zeigte er auf mich und erklärte den Soldaten etwas, und dann lachten die Soldaten zuerst über das kaputte Brillenglas, und dann streichelten sie mir über den Kopf. »Was redet ihr denn über mich?« fragte ich.

Cohn schaute mich grantig an. »Frau, muß ich Lügen machen über dich! Muß ich sagen, du bist ganz sehr krankes Kind mit viel Halsweh und Bauchweh und mußt auch ins Lazarett.«

»Aha«, grinste ich.

»Nix aha, Frau! Brauchst nix lachen, is gar nix lustig. Papa und Mama zu Hause haben Angst, viel Angst um Frau und suchen dummes Frau überall!«

Cohn holte die Zeichnung von meinem Vater aus der Hosentasche. Er zeigte auf die Linie, neben der »Kalvarienberggasse« stand. »Frau, wo sein das? Du mir zeigen, wo ich müssen wegfahren von großer Straßen?«

Ja, wo war das? Das sah alles sehr viel anders aus als früher. An Bombenlöcher zwischen den Häusern war ich gewöhnt, doch jetzt gab es mehr Löcher als Häuser. Ich kannte mich nicht recht aus. Unter dem Viadukt der Vorortbahn waren wir schon durch. Vielleicht waren wir bei der Wattgasse? An der Ecke Hauptstraße – Wattgasse war immer ein Möbelgeschäft gewesen, mit roten Schildern über den Auslagen und gelben Buchstaben auf den roten Schildern. Und daneben war ein Geschäft gewesen mit einem blauen Rollbalken und einem weißen Schwan darauf. Hier aber sah ich weder ein rotes Schild noch einen weißen Schwan. Hier war nur ein riesiger Schutthaufen.

26.

Der heile Bürgermeister
Das Badewannenloch
Das Schwere auf den Füßen • Das Klavier
Das Puppenhaus

»Na, Frau, wo is?«

Überall, so weit ich schauen konnte, waren riesige Schutthaufen, dazwischen Ruinen und hin und wieder ein Haus, das ganz geblieben war. Dann sah ich die Kirche. Wir waren schon richtig. »Fahr nur weiter, fahr nur weiter«, sagte ich.

Früher hatte man von hier aus nur die oberste Spitze des Kirchturms gesehen, grau und winzig klein und mit einem goldenen Kreuz, das manchmal in der Sonne glitzerte. Jetzt sah man den ganzen Kirchturm und sogar ein Stück vom Dach der Kirche. Und daß das Dach ein riesiges Loch hatte, das sah man auch.

Cohn fuhr weiter. Manchmal wurde das Weiterfahren schwierig; denn auch in der Straße waren Bombenlöcher, und Cohns Pferd mochte keine Bombenlöcher. Es wollte an den Bombenlöchern nicht vorbei. Cohn mußte jedesmal absteigen, das Pferd streicheln und am Bombenloch vorbeiführen.

Wir kamen zum Elterleinplatz. Ich erkannte ihn genau, weil

173

die Rettungsinsel mit den drei Fliederbüschen und dem gipsernen Bürgermeister heil geblieben war. Sonst war nichts heil geblieben. Gar nichts.

»Jetzt mußt du irgendwo links abbiegen«, erklärte ich.

Cohn nickte, aber links abbiegen ging nicht. Links war nur ein riesiger gelbbrauner Schutthaufen und viel Staub, der in der Sonne glitzerte und bis zu uns her in der Nase kitzelte, in den Augen brannte und am Gaumen klebte.

Ein Mann kroch in dem Schutthaufen herum. Er suchte nach guten Ziegelsteinen und schichtete sie auf einen Haufen. Als er uns sah, lief er davon, lief so schnell davon, daß er einen guten Ziegelstein, den er gerade blank geputzt hatte, wegwarf.

»Mann, Mann«, rief Cohn, »nix rennen, bleiben, sagen!«

Der Mann scherte sich nicht um uns. Er stolperte über Schutt und Balken, wirbelte bei jedem Schritt Staub hoch.

»Mann, Mann!« Cohn winkte mit dem Zettel, sprang vom Wagen.

»Laß den Trottel«, sagte ich, »ich kenn mich schon aus!«

Cohn hörte nicht auf mich. Er kletterte auf den Schutthaufen und lief hinter dem Mann her, versank knietief im Schutt. Fetter, gelber Staub wirbelte hoch.

»Cohn, komm zurück!«

Ich wollte Cohn zurückholen und sprang vom Wagen, kletterte auf den Schuttberg. Es ging ungefähr fünf Meter steil bergauf. Man mußte vorsichtig gehen. Einmal war etwas Festes, Hartes unter den Füßen, dann wieder etwas Weiches, das nachgab, einsank, rutschte.

Ich stand auf einer Küchenkredenz, einer weißgestrichenen Küchenkredenz. Mit einem Fuß auf der Eßzeuglade, mit einem Fuß auf der Brotlade. Und unter der Küchenkredenz krachte es. Plötzlich war vor mir, vor der Küchenkredenz, ein Loch, ein Loch, so lang und so breit wie eine Badewanne, nur viel, viel tiefer. Und in das Loch rutschten, polterten, fielen von allen Seiten Ziegelbrocken, Holzstücke, Mörtel und Steine. Ich stand, starrte in das Loch, sah, wie es sich langsam füllte, spürte, wie es unter meinen Füßen, unter der Küchenkredenz auch zu rutschen begann, sprang zurück und sprang auf das eine Ende eines dicken Holzbalkens. Das andere Ende des dicken Holzbalkens, das unter dem Schutt begraben lag, kam krachend aus dem Dreck heraus. Mein Ende sank tief, immer tiefer in den Schutt hinein.

»Cohn!« brüllte ich.

Ich saß auf dem Balken und steckte bis zur Brust im Schutt. Die Arme hatte ich frei. Mit den Händen versuchte ich, den Schutt wegzuschaufeln. Ich schaufelte wie verrückt, aber kaum hatte ich ein Stück von mir ausgegraben, rutschte eine neue Portion Dreck nach. Ich wurde müde. Ich hörte auf, nach Cohn zu brüllen. Plötzlich kam eine Riesenportion Schutt: Ziegelbrocken, Glasscherben, Holzstücke, Steine, Schilfrohr und ein handtellergroßes Stück Verputz – hellblau mit einer rosa Rose darauf – und eine grüne Kachel und eine Ofentür. Das Zeug rutschte auf mich zu, rutschte immer schneller, rutschte über mich, schmeckte entsetzlich nach Keller und Bomben und Krieg. Aber der Krieg war doch aus! Am blauen Himmel über mir war kein einziges Flugzeug zu sehen, kein einziges Flugzeug zu hören.

Die rosa Rose auf hellblauem Grund schlug mir gegen den Kopf. Schilfrohrfetzen kratzten über das Gesicht. Der Himmel war noch immer blau.

»Frau, Frau, wo bist du?« Cohns Stimme klang heiser, verzweifelt und sehr weit weg. Cohns Stimme ging mich nichts mehr an. Es lohnte nicht zu antworten. Das Zeug über mir tat nicht mehr weh. Harte Brocken fielen auf mich und fühlten sich watteweich an. Es war schon alles in Ordnung. Nur, daß kein Flugzeug da war, dem eine silberne Perlenkette aus dem Bauch hing, das war doch sehr sonderbar. Ich schloß die Augen.

Cohn zog mich aus dem Schutthaufen heraus, und ich schrie laut, denn irgend etwas lag quer über meinen Beinen, etwas Schweres, Stechendes. Cohn sollte mich liegenlassen, dann tat das Schwere, Stechende nicht weh! Cohn ließ mich nicht liegen.

Ich dachte: Er reißt mir die Beine ab. Die Beine werden im Schutt bleiben! Sie blieben nicht im Schutt. Cohn schleppte mich über den Schutthaufen, jammerte, schimpfte. Ich hing über Cohns Schulter. Manchmal baumelten meine Füße in der Luft, manchmal schlugen sie gegen Balken und Mauer. Die zerbrochene Brille hing schief von Cohns Wange. Seine salmiakwassergeputzte Uniform war voll Staub.

Cohn legte mich auf den Wagen. Ich lag auf dem Rücken, schaute in den Himmel. Die Bombenruinen zwischen den Schutthaufen liefen im Kreis rund um mich herum, liefen immer schneller, sausten vorbei, fielen auf mich.

»Frau, wo tut's weh?«

Es tat nirgends weh.

Cohn glaubte es nicht. Er bewegte jedes Gelenk an meinem Körper. »Tut's weh?« fragte er und bog meine Beine in den Knien ab, klopfte auf meinen Rippen herum, zupfte an meinen Fingern. »Tut's weh?« fragte er und tupfte an meinen Hals.

»Es kitzelt«, sagte ich.

Cohn seufzte, wischte sich Dreck von der Stirn, murmelte: »Frau, Frau, viel Glick, sehr viel Glick haben!«

Ich setzte mich auf. Mein Kopf tat weh. Aber die Bombenruinen standen still. »Jetzt bist du wieder ganz dreckig«, sagte ich.

»Macht nix, macht nix, Frau«, sagte Cohn und beklopfte seine Hosenbeine. Staub wirbelte hoch.

Dann putzten wir gemeinsam die halbe Brille. Wir spuckten darauf. Wir rieben, bis das Glas blank war. Doch das Leukoplast hielt nicht mehr. Es war voll Staub und Dreck. Cohn war ratlos.

Meine Zöpfe waren mit braunen Schuhbändern zugebunden. Ich zog die Schuhbänder von den Zöpfen und knotete sie zusammen. Ich knüpfte das eine Ende an die Brille und wikkelte das Band um Cohns Kopf, verknüpfte es. »Siehst was?« fragte ich.

»Seh nix!« sagte Cohn.

»Wirklich nicht?«

»Na ja«, murmelte Cohn, »geht schon, geht schon!«

Wir fuhren die Straße weiter. Wir bogen nach links ein. »Is hier?« fragte Cohn. Nein, hier war es nicht.

»Frau, Frau«, rief Cohn, »schau da! Wie sagt man?«

»Klavier!« sagte ich.

Da war eine Bombenruine, und oben, irgendwo oben, hing zwischen Balken und Dachteilen und Fensterstöcken ein schwarzes Piano. Verkehrt herum, mit den Tasten nach unten, den Pedalen nach oben. »Klavier«, wiederholte Cohn. »Klavier! Sehr schöne Klavier!«

Ich war beruhigt. Cohn sah also doch etwas. Wir bogen

wieder um eine Straßenecke. Und da stand die Puppenhausruine, unser altes Haus.

»Wir sind da«, sagte ich. Cohn nickte. Das Pferd blieb stehen. Cohn kletterte vom Wagen, holte den Sack mit den
Lebensmitteln herunter. »Na, komm, Frau!« sagte er. »Komm
schon!«

27.
Die vernagelte Tür
Die falsche Großmutter
Die grauen Socken • Das Zeug
Die anderen

Wir gingen zur Puppenhausruine. Die Zimmerfenster der
Großmutter waren mit Holzbrettern vernagelt. Das war ein
gutes Zeichen.

Tote Leute nageln nicht.

Die Zimmertür der Großmutter war auch vernagelt, und zur
Zimmertür hin führte so etwas Ähnliches wie ein Weg, ein
schmaler, festgetretener Streifen Erde.

Cohn grinste zufrieden.

Ich lief den Weg entlang. Das letzte Stück vom Weg ging
durch Großmutters Küche. Eine Küchenwand stand noch, mit
dem Gasherd und den hellblauen Kacheln dahinter. Und an
den hellblauen Kacheln hingen der gestreifte Topflappen und
der Gasanzünder. Die vernagelte Tür war versperrt.

»Sie ist doch nicht zu Hause«, sagte ich verzagt. Früher

nämlich war die Wohnungstür der Großeltern nie versperrt gewesen.

Cohn klopfte gegen die vernagelte Tür. Hinter der Tür raschelte es. Cohn klopfte weiter, und ich klopfte mit.

»Wer ist denn da?« Das war die Stimme vom Großvater.

»Ich!« schrie ich und rüttelte an der Türklinke.

»Die Juli hat gesagt, daß da ein russischer Soldat kommt«, sagte der Großvater, während er von innen die Tür aufsperrte.

»Das ist der Cohn«, erklärte ich zum Schlüsselloch hinein, »der hat mich hergebracht!«

Endlich hatte der Großvater die Tür offen. Es dauerte so lange, weil die Tür klemmte. Und die Tür klemmte, weil sich die Hausmauern gesenkt hatten.

Ich fiel dem Großvater um den Hals, und der Großvater fragte mich unheimlich viel auf einmal. Wo die anderen seien, und wie es ihnen ginge, und wieso ich allein da sei und noch eine Menge mehr.

Ich sagte, daß es allen sehr gutginge, und drückte mich eng an den Großvater und spürte, wie mich seine Ohr-Haarbüschel an den Wangen kitzelten.

Cohn stand bei der Zimmertür und grinste und wackelte mit dem Kopf und starrte in das finstere Zimmer.

Ich ließ den Großvater los. »Wo ist denn die Großmutter?« fragte ich.

Der Großvater deutete ins Zimmer hinein. »Dahinten wo hockt sie! Sie fürchtet sich vor dem Soldaten da!« Der Großvater zeigte auf Cohn.

Die Großmutter fürchtete sich! Das war neu! Die Großmutter hatte sich doch nie gefürchtet. Ich ging in das Zimmer hinein. Die Großmutter kam auf mich zu. Sie sah ganz anders aus, als ich sie in Erinnerung hatte. Sie war viel kleiner und viel dünner, und ihre Hände zitterten. Sie streichelte mit ihren zittrigen Händen über mein Gesicht. Sie drückte mich an ihren Busen und schluchzte, schluchzte stoßweise und murmelte dabei: »Daß du mir wieder da bist, daß du mir wieder da bist!«

Mir war das unangenehm. Vor allem wegen Cohn. Ich hatte ihm doch von einer ganz anderen Großmutter erzählt. Von einer großen, wilden, dicken Großmutter. Die Großmutter da aber, die war klein und ziemlich mager und gar nicht wild.

»Warum heulst du denn?« fragte ich.

»Daß ich das noch erlebt hab, daß ich das noch erlebt hab«, schluchzte die Großmutter und tastete wieder zitternd nach mir.

»Sie hat die Nerven verloren«, sagte der Großvater.

»Ich müssen weiterfahren«, erklärte Cohn, »schauen um Augengläser.« Er verbeugte sich vor dem Großvater. »Kommen wieder mit Augengläser und holen Frau!«

Der Großvater verbeugte sich vor Cohn.

Die Großmutter stand daneben und zitterte und verstand überhaupt nichts. Sie war noch schwerhöriger geworden. »Was will er denn? Was will er denn bei uns? Wir haben ja selber nichts, gar nichts!« sagte sie zum Großvater, wiederholte immer wieder: »Was will er denn? Wir haben ja selber nichts, gar nichts!«

Cohn versicherte: »Ich nix wollen. Nur bringen und holen Frau!«

»Nichts will er«, brüllte der Großvater der Großmutter ins Ohr. Die Großmutter verstand wieder nicht.

Cohn drehte sich um, ging durch die halbe Küche, ging den zwei Fuß breiten Weg entlang.

»Er geht fort«, sagte die Großmutter. Sie war erleichtert und zitterte weniger. Dann sagte sie: »Russen-Sau!«

Ich lief Cohn nach, erreichte ihn dort, wo früher einmal die Haustür gewesen war. »Cohn, bitte, beeil dich, hol mich bald!«

»Frau, Frau«, murmelte Cohn, »beeil mich ja schon.«

Er blieb stehen und schaute mich durch das verschmierte, an den Kopf gebundene Brillenglas an. »War das Großmutter?«

Ich schaute auf den Schutthaufen. Am liebsten hätte ich gesagt: Die Großmutter ist tot. Die Großmutter liegt unter dem Schutt.

Und so sehr gelogen wäre das gar nicht gewesen. Meine Großmutter gab es wirklich nicht mehr. Sicher, so wild und so groß und so herrlich, wie ich sie Cohn geschildert hatte, war die Großmutter nie gewesen, aber so klein und so zittrig und so jämmerlich wie die Alte, die da in der Puppenküche stand, war meine Großmutter auch nicht.

»Macht nix, macht nix«, sagte Cohn. »Ich holen Frau schnell, sehr schnell!«

Cohn holte mich nicht schnell.

Ich saß den ganzen Tag im Zimmer der Großmutter. Die Großmutter fragte mich etwas. Ich gab dem Großvater Antwort, und der Großvater brüllte der Großmutter die Antwort ins Ohr, ins linke Ohr, auf dem rechten Ohr war sie völlig taub.

Im Zimmer war es dunkel. Durch die vernagelten Fenster drang nur wenig Licht. Die Großmutter hatte einen Wäsche-

181

korb voll Socken. Alle Socken waren dunkelgrau, mit zwei grünen Streifen oben am Rand. Deutsche Armeesocken aus dem Wehrmachtslager am »Gürtel«. Die hatte der Großvater einmal gebracht.

Die Großmutter hockte sich dicht an ein Fenster, dort wo eine Ritze zwischen den Brettern war. Sie schnitt die grünen Ränder von den Socken und versuchte, den Rand neu abzuketteln. Das ging schlecht, weil sie zitterte.

»Warum tut sie das?« fragte ich den Großvater.

»Damit niemand merkt, daß es deutsche Armeesocken sind.«

»Warum soll das niemand merken?«

»Sonst sieht man, daß sie gestohlen sind!«

Gestohlen? Wenn einer Militärsocken aus einem Lager von einem Militär nahm, das es gar nicht mehr gab, dann hatte er gestohlen? »Wem würden denn die Socken jetzt gehören?« fragte ich.

Der Großvater wußte es nicht.

Die Großmutter, mit den Augen dicht an der Fensterritze, jammerte: »Der Lepold, der Lepold! Der Brenner hat Petroleum gebracht, und der Simon Schmalz und die anderen Mehl... Und er bringt Socken, nichts als Socken. Zu nichts ist er gut.«

»Dummes Luder, du«, sagte der Großvater.

»Was?« fragte die Großmutter und hielt ihm das linke Ohr hin.

»Dummes Luder, du«, sagte der Großvater.

»Was sagst du?« fragte die Großmutter.

»Es ist gleich acht Uhr«, brüllte der Großvater ins linke Ohr.

»Ja, ja«, sagte die Großmutter. Sie warf einen Socken in den Wäschekorb und machte Nachtmahl. Sie holte eine alte Konservenbüchse aus dem Schrank und stellte sie auf den Tisch. Die Konservenbüchse war leer. Sie hatte keinen Deckel. Unten am Rand waren drei Löcher, jedes so groß wie ein Markstück. Die Großmutter steckte dünne, kleine Holzspäne in die Markstück-Löcher. Auf die Konservendose stellte sie einen Topf.

Zu mir sagte sie: »Gute Suppe!«

Zum Großvater sagte sie: »Zünd an!«

Der Großvater holte eine Schachtel Streichhölzer aus der Tasche. »Unsere letzten«, erklärte er. Er rieb ein Zündholz an der Reibfläche, schützte die Flamme mit einer Hand, fuhr ins Markstück-Loch. Das Zündholz ging aus. Die Holzspäne brannten nicht.

»Er kann ja alles besser«, keifte die Großmutter, »ich zittere ja zu stark, ich darf ja nicht. Immer er, er kann es ja besser!«

Ich hatte immer eine Schachtel Streichhölzer in der Tasche vom Steppdeckenkleid. Diesmal hatte ich sogar zwei. Ich gab sie dem Großvater.

Der Großvater steckte sie ein.

»Ich will auch eine! Eine gib mir!« rief die Großmutter. »Gib sofort eine her!«

Der Großvater hielt die Streichholzschachteln fest umklammert. Die Großmutter packte meine Hand. »Eine gehört doch mir, sag ihm doch, daß eine mir gehört!«

Ich wußte nicht, was ich tun sollte. Großeltern, die um Zünder stritten, waren mir neu.

Der Großvater warf eine Zündholzschachtel quer über den

Tisch. Die Schachtel flitzte über das Wachsleinentischtuch und fiel zu Boden.

Die Großmutter bückte sich, kroch auf allen vieren der Schachtel nach.

Im Zimmer war es dunkel. Auf dem Fußboden war es noch dunkler.

»Da sind sie!« keuchte die Großmutter. Sie erhob sich vom Fußboden, steckte zitternd die Schachtel ein und sagte voll Triumph: »Die gehören mir allein. Davon bekommst du kein einziges!«

Ich merkte, daß mir die Tränen über die Wangen liefen. Ganz genau wußte ich nicht, warum ich heulte. Ganz genau wußte ich nur, daß ich mir Cohn herbeiwünschte.

Cohn kam nicht.

Der Großvater zündete die Späne hinter den Markstück-Löchern an. Die Großmutter rührte im kleinen Topf. Aus dem Topf stank es. »Warum heizt ihr nicht den großen Ofen ein?« fragte ich.

»Der Kamin ist kaputt, verlegt, verschüttet«, erklärte mir der Großvater.

»Was sagst du?« fragte die Großmutter.

Der Großvater gab ihr keine Antwort.

Das Zeug aus dem kleinen Topf war ungenießbar. Graue Klumpen schwammen da in einer grauen Soße. Aber der Teller, in den mir die Großmutter das Zeug füllte, war der Vergißmeinnicht-Teller, mein Lieblingsteller! Und der Löffel mit dem Holzgriff war auch noch da. Ich steckte den Löffel, den leeren Löffel in den Mund. Er schmeckte wie früher. Er schmeckte nach Eisen, nach Salz. Er schmeckte bitter. Er schmeckte rauh.

»Magst du nicht essen?« fragte der Großvater.

Ich schüttelte den Kopf. Der Großvater zog meinen Teller zu sich herüber.

Die Großmutter starrte ihn giftig an. »Immer er, immer er«, murmelte sie.

Nun war es nicht nur im Zimmer dunkel. Auch draußen war es dunkel. Ich ging mit dem Großvater in die Puppenküche. Wir setzten uns auf den Boden.

»Gibt es noch andere?« fragte ich.

»Die wohnen drüben im Cerny-Haus«, sagte der Großvater.

Im Cerny-Haus hatten früher eine Menge Nazis gewohnt. Die waren geflüchtet. Das Cerny-Haus war heil geblieben. Die Nazi-Wohnungen standen leer.

»Und die Brenner?«

»Die Brenner wohnen auch im Cerny-Haus!«

»Ich hab geglaubt, die bringen sich um, wenn die Russen kommen?«

»Wollten sie ja.«

»Und warum haben sie nicht? Haben sie kein Gift gehabt?«

»Gift haben sie schon gehabt. Zuerst haben sie den Hund umgebracht.«

»Und dann?«

»Und dann haben sie gesehen, wie sich der Hund mit dem Sterben plagt, und da haben sie eine Scheißangst bekommen.«

»Ist er gestorben?«

»Wer?«

»Der Hund.«

»Natürlich ist der Hund gestorben, aber die Brenner, die leben noch!«

Es war stockfinster. Cohn war noch immer nicht da. Von weitem hörte man russische Stimmen. Cohn? – Nein, nicht Cohn. Zwei Stimmen. Sicher jemand von der Militärpolizei.

Die Stimmen kamen näher, gingen am Schutthaufen vorbei. Eine Stimme lachte. Eine Stimme redete.

Der Großvater hielt mir den Mund zu. Warum er das tat, war mir nicht klar.

Die Stimmen wurden leiser. Die Stimmen waren weg. Der Großvater zog die Hand von meinem Mund.

»Die Russen«, sagte ich, »die Russen tun selten etwas Böses.«

Der Großvater nickte.

»Nur gerade soviel wie die anderen auch. Die meisten sind sehr freundlich.«

Der Großvater nickte.

»Ich mag sie. Und den Cohn besonders!«

Der Großvater nickte.

»Und warum sollen sie uns nicht hören?«

»Weil ich Angst habe«, sagte der Großvater.

Angst! Angst! Alle hatten sie Angst!

»Du wirst bei uns schlafen müssen«, sagte der Großvater, »dieser Soldat kommt nicht wieder!«

»Dieser Soldat!« Ich wurde wütend. »Sag nicht so: dieser Soldat! Das ist Cohn. Das ist mein Freund, mein bester.«

»Reg dich nicht auf«, murmelte der Großvater.

Wir schauten ein bißchen in den Himmel. Es war nichts zu sehen. Kein Mond, keine Sterne, keine Wolken.

»Manchmal fliegen Flugzeuge«, sagte der Großvater.

»Bei uns auch«, sagte ich.

»Amerikanische auch«, sagte der Großvater.

»Bei uns nicht«, sagte ich.

»Wie willst du denn das wissen?« fragte der Großvater.

»Ich weiß es«, behauptete ich.

»Vielleicht haben wir Glück«, sagte der Großvater, »und die Russen ziehen ab und die Amerikaner kommen.«

»Ich will keine Amerikaner!«

Der Großvater schwieg.

Ich begriff, daß Cohn heute nicht mehr kommen würde. Es war doch stockfinster. Nirgendwo brannte eine Straßenbeleuchtung. Kein einziges Fenster von den paar Fenstern, die es noch gab, war hell. Cohn konnte den Weg gar nicht finden.

Der Großvater stand auf. Ich auch. Der Großvater zündete ein Streichholz an. Wir tappten durch die Puppenhausküche. Bei der Zimmertür erlosch das Streichholz; der Großvater zündete ein neues an.

Das Zündholz warf einen flackernden Schatten auf das Ehebett. Auf der einen Seite lag die Großmutter. Ihr Mund stand offen. Sie schlief. Sie sah grauslich aus, weil ihr die Zähne fehlten. Sie tat jeden Abend das falsche Gebiß heraus.

»Laß bitte die Zähne im Mund«, sagte ich zum Großvater.

Wir zogen die Schuhe aus. Wir setzten uns auf das Bett. Das Zündholz war ausgegangen.

»Willst du auf ihrer Seite oder auf meiner Seite schlafen?« erkundigte sich der Großvater.

Ich wollte in der Mitte, doch das ging nicht, weil nur zwei Decken da waren. Ich kroch zum Großvater unter die Decke.

Bald schlief auch der Großvater. Es war ganz still. Niemand schnarchte. Niemand schnaufte. Nur manchmal raschelte etwas vor der Zimmertür, oder es knackte in der Decke über uns. Mir fiel der Riß in der Zimmerdecke ein. Was war mit dem Riß? Den ganzen Tag über hatte ich den Riß vergessen. Im Zimmer war es immer so dunkel gewesen, daß ich ihn nicht gesehen hatte.

Vielleicht kam Cohn doch noch. Darum hatte ich das Steppdeckenkleid anbehalten. Ich schlief gern auf dem Bauch. Die Knöpfe vom Steppdeckenkleid drückten mich. Ich drehte mich auf den Rücken. Ich stieß an den Großvater.

»Schlaf doch«, murmelte der Großvater.

Ich schlief.

28.

Die zuckenden Lider
Das sturste Kind
Die Polizeisperre • Der Troß

Als ich munter wurde, war es bereits hell im Zimmer. Die vernagelten Fenster waren offen. Vor einem der offenen Fenster stand mein Vater. Er stand mit dem Rücken zu mir. Das war gut so. Ich schloß die Augen wieder.

»Ich hab ja nicht gewußt, daß ihr nicht wißt, daß sie bei mir ist«, hörte ich den Großvater sagen.

»Hätte dir auch nichts genützt!« sagte mein Vater.

»Ich hätte sie nach Hause gebracht.«

»Du? Durch die Polizeisperre?«

»Ja«, sagte der Großvater. Anscheinend glaubte er es wirklich. Mein Vater kam zum Bett. Ich hörte die Schritte auf dem quietschenden Fußboden. Er tupfte mit einem Finger auf meine Schulter. »Steh auf«, sagte er.

Ich rührte mich nicht.

»Du schläfst nicht mehr«, sagte mein Vater und tupfte stärker. »Deine Augenlider zucken!«

Ich versuchte, unter den geschlossenen Lidern die Augäpfel nach oben zu drehen. Gerald hatte behauptet, man muß die Augen ganz nach oben drehen, so wie wenn man ins Hirn hineinschauen will, dann zucken die Lider nicht! Geralds Rezept wirkte nicht. Meine Augen zuckten weiter.

Mein Vater sagte, ich solle nicht so ein Theater machen, und die Großmutter, anscheinend noch immer neben mir im Bett und anscheinend immer noch ohne Zähne, weil sie beim Reden so zischte, jammerte: »So laßt's doch das Hascherl ausschlafen. Laßt es doch liegen, wenn's so müde ist.«

»Ich muß wieder weg«, brüllte mein Vater.

»Was ist?« fragte die Großmutter.

»Weg muß er!« schrie der Großvater.

»Ach so«, sagte die Großmutter, »ach so.«

Bei dem Gebrüll wäre sogar die Großmutter munter geworden. Ich setzte mich auf.

»Zieh dich an«, sagte mein Vater.

»Ich bin angezogen.«

»Die Schuhe!«

Ich stieg aus dem Bett, bückte mich. Da standen die Schuhe. Ich blieb gebückt, tat, als suche ich die Schuhe.

»Zieh schon die Schuhe an«, rief mein Vater.

Ich zog die Schuhe an und erklärte, daß ich mich frisieren müsse und waschen und daß ich Hunger hätte.

»Los, komm schon«, sagte mein Vater. »Sag auf Wiederschaun und komm!«

Mein Vater packte mich an der Hand, zog. Ich zog dagegen. Mein Vater ließ meine Hand los. Ich fiel auf das Bett.

Mein Vater beugte sich über mich. »Du bist das sturste, blödeste Kind, das ich kenne«, erklärte er.

»Cohn kommt mich holen«, sagte ich.

»Cohn kommt dich nicht holen.«

Das klang so, daß ich wußte – es stimmt! Ich stand auf, sagte: »Auf Wiedersehn!«

Der Großvater küßte mich auf die Wange; die Großmutter drückte mich an den Zitterbusen. Ich machte mich los. Mein Vater wurde auch an den Zitterbusen gedrückt. Er machte sich auch los. Wir gingen aus dem Zimmer.

Der Großvater schloß die vernagelten Fenster.

Wir gingen die Geblergasse stadtauswärts. Wir gingen schnell. Ich gab meinem Vater die Hand.

»Renn doch nicht so«, keuchte ich, »ich krieg Seitenstechen.«

Mein Vater blieb stehen. Er holte eine Zigarette aus der Tasche, steckte sie in den Mund, zündete sie an. Ich wollte mich auf den Randstein setzen. »Geht nicht«, erklärte mein Vater und zog mich hoch. Ich gab ihm wieder die Hand; wir liefen weiter. Ziemlich weit draußen, bei der Vorortbahn, wollte ich wieder sitzen.

»Ich bin müd«, schluchzte ich.

»Ich auch«, sagte mein Vater. »Lauf jetzt weiter. Zu Hause kannst du schlafen, soviel du willst. Wir haben nicht mehr viel

Zeit. Wir müssen in spätestens einer halben Stunde bei der Straßensperre an der Endstation sein!«

Wieso mußten wir in einer halben Stunde bei der Straßensperre an der Endstation sein?

»Weil die Posten wechseln.«

Was ging es uns an, ob die Posten wechselten?

»Ich hab einen Schrieb vom Major, daß ich durch die Sperre kann, daß man mich durchläßt!«

Na eben! Was regte er sich dann so auf?

»Aber der Schrieb ist doch einen Scheißdreck wert. Der Major darf doch gar nicht bestimmen, ob ein Zivilist da durchdarf!«

Wieso war mein Vater dann durchgekommen?

»Weil ein Besoffener und ein gutmütiger Trottel bei der Sperre waren!«

Na, dann war ja alles in Ordnung!

»Aber ich kann mich nicht drauf verlassen, daß die nächste Partie auch besoffen und gutmütig ist! Und wenn sie nicht besoffen und gutmütig sind, dann lassen sie uns nicht durch, und wir können hierbleiben!«

Nun hatte ich es eilig. Ich hatte kein Seitenstechen mehr, und müde war ich auch nicht mehr. Ich rannte los. Mein Vater rannte, humpelte, keuchte neben mir.

»Bist bös?« fragte ich.

»Nein!« sagte mein Vater.

»Und die Mutti?«

»Weiß nicht. Die wird auch froh sein, wenn sie dich wiederhat!«

»Wieso habt ihr denn gewußt, wo ich bin?«

»Von Gerald!«

»Hat er es gleich gesagt?«

»Nein, erst am Abend.«

»Wieso ist Cohn mich nicht holen gekommen?«

»Weil er eingesperrt ist!«

Ich blieb stehen.

»Komm«, sagte mein Vater.

Ich ging nicht weiter. Cohn war eingesperrt! »Wegen mir?« fragte ich. »Wegen mir? Das geht nicht. Er kann nichts dafür. Er hat nichts gewußt. Das muß man dem Major sagen, daß er nichts gewußt hat.«

Mein Vater sagte, das sei alles nicht so einfach. Und wenn ich schön brav weiterrenne, wird er mir alles genau erklären. Alles, was er weiß. Er wußte aber auch nur soviel wie der Iwan, der gestern abend wegen Cohn einen Anruf bekommen hatte.

Ich rannte also weiter, und mein Vater erzählte: »Ganz sicher ist nur eines, der Cohn hat neue Brillengläser bekommen, und jetzt hockt er im Arrest, weil sie ihn für einen Deserteur halten!«

»Das ist er doch nicht!« schrie ich.

»Sicher ist auch noch«, erklärte mein Vater, »daß Cohn vom Lazarett weggefahren ist und daß der Wagen dann einen Achsenbruch hatte. Statt das zu melden, hat der Cohn das Pferd ausgespannt und ist mit dem Pferd weiter!«

»Geritten?« fragte ich.

Mein Vater wußte es nicht. Mein Vater wußte nur, daß sich Cohn anscheinend verirrte und daß ihn dann eine Militärstreife aufgegriffen hatte. Und jetzt hielt man ihn für einen Deserteur.

»Er wollte mich holen«, sagte ich. »Er wollte mich nach

Hause bringen. Nur deswegen hat er den Wagen stehengelassen. Das muß man denen sagen!«

»Das wird ihm auch nichts nützen.«

»Was kann ich denn für Cohn tun?«

»Nichts!«

»Aber ich bin ja schuld!«

»Red nicht so blöd«, sagte mein Vater. »Ob du schuld bist oder nicht, hat einen Dreck damit zu tun, ob du einem helfen kannst oder nicht. Kapiert?«

»Was geschieht ihm denn jetzt?«

Mein Vater zuckte mit den Schultern.

»Schießen sie ihn tot?«

Mein Vater sagte, daß sie ihn nicht totschießen. Weil ja kein Krieg mehr war. Da sind, sagte mein Vater, die Urteile nicht mehr so streng.

»Seh ich ihn dann wieder?«

Mein Vater sagte, wahrscheinlich würde ich Cohn nicht wiedersehen. Und die anderen, den Major und den Feldwebel und den Uniformputzer und die Ludmilla und den Iwan und die anderen alle, die würde ich auch nicht mehr lange sehen, die müßten in den nächsten Tagen fort.

»Ist der Krieg jetzt ganz aus? Gehen alle Soldaten weg?«

Nein, alle Soldaten gingen nicht weg. Doch die Kampftruppen würden jetzt abgelöst. Jetzt käme der Troß. Troß war ein scheußliches Wort. Ich wollte keinen Troß.

29.

Die lustige Emmi • Der Gutmütige
Die Papahelfer • Die Buchhalter
Der Erziehungskampf

Mein Vater wollte auch keinen Troß. Niemand, erklärte mein Vater, hätte Freude am Troß. Ich kam nicht zum Fragen, was der Troß eigentlich sei; denn an der nächsten Ecke war die Polizeisperre. Mein Vater sagte: »Du gehst jetzt schön neben mir, und falls ich dir einen Stoß gebe, dann rennst du, rennst du so schnell, wie du kannst, verstanden?«

»Wohin?«

»Die Neuwaldegger Straße hinaus! Du rennst bis zur anderen Militärsperre, bis zur Atariastraße. Dort wartest du auf mich. Iwan hat heute Wachdienst. Er weiß alles.«

»Und wann kommst du?«

»So schnell ich kann. Ich weiß das noch nicht. Vielleicht geht ohnehin alles in Ordnung. Dann brauch ich dir gar keinen Stoß zu geben, und du brauchst nicht zu rennen!«

Die Militärpolizeisperre war ein kleines Wirtshaus bei der Haltestelle, mit einer grünen Tür und einem Fenster. *Zur lustigen Emmi* stand über der Tür.

Und über dem Fenster hing ein rundes, grünes Schild mit der Aufschrift: *Hauerweine.*

Hinter dem Fenster war kein Vorhang mehr. In der Wirtsstube standen keine Sessel mehr und auch keine Tische. Nur die große, braune Theke war noch da und ein Feldbett mit einer grauen Decke darauf.

Vor der Wirtshaustür sollten eigentlich zwei Russen stehen

und Wache halten. Damit niemand vorbeiging, der nicht vorbeigehen sollte. Die Wachsoldaten hatten nicht nur auf die Zivilisten aufzupassen, sondern auch auf die russischen Soldaten. Die durften auch nicht an der Sperre vorbei in die Stadt hinein, wenn sie keinen dreimal abgestempelten, zweimal unterschriebenen Befehl dazu hatten. Vor der Wirtshaustür stand kein Soldat.

Wir waren ungefähr zehn Meter von der Wirtshaustür entfernt.

»Laufen wir beide, ganz schnell«, schlug ich vor. »Ich mag nämlich nicht allein.«

»Und wenn sie beim Fenster sitzen und herausschauen?« fragte mein Vater.

»Ducken wir uns und kriechen am Boden!«

»Blödsinn«, zischte mein Vater, »ich spiel hier nicht Indianer!«

Mein Vater blieb stehen. Es war sehr still. Ich schaute auf die Straßenbahnschienen, sah, daß zwischen Pflastersteinen und Eisen kleine Grashalme herauswuchsen. Schaute auf das Kanalgitter und sah, daß zwei rot-schwarz gefleckte Baumwanzen, eine an die andere geklebt, darüberkrochen.

Ein Soldat kam aus der Wirtshaustür, schaute in den blauen Himmel. Er hatte kein Gewehr um und war auch nicht betrunken. Also war es der Gutmütige. Er erkannte meinen Vater, winkte, grinste. Mein Vater grinste auch. Dann schaute der Gutmütige wieder in den Himmel. Tat, als sehe er uns gar nicht. Wir gingen auf ihn zu, gingen vorbei. Er schaute in die Luft.

Hinter dem offenen Wirtshausfenster lehnte der Betrunkene. Sein Kopf lag auf der Fensterbank. Er schlief. Nein, er schlief nicht! Wir waren drei Schritte am Wirtshausfenster vorüber, da brüllte der Betrunkene hinter uns: »Stoj!«

Mein Vater gab mir einen Stoß, noch einen.

Ich rannte los.

Ich rannte, rannte so schnell wie noch nie. Die Neuwaldegger Straße war lang. Die Neuwaldegger Straße wollte nicht aufhören. So lang konnte die Neuwaldegger Straße doch gar nicht sein!

Lattenzaun, Stangenzaun, Lanzenzaun, Gitterzaun, Mauer, Lattenzaun, Stangenzaun, Mauer... Asphaltboden, Lehmboden, Katzenkopfpflaster, Lehmboden, Asphaltboden... Jasminbuschen, Fliederbuschen, Silbertannen, Buchsbaum, Jasminbuschen, Silbertannen, Buchsbaum... Emailschild Nummer 20, Blechschild Nummer 28, Pappschild Nummer 36, Emailschild Nummer 44... Mauer, Pflastersteine, Silbertannen, Blechschild Nummer 52, Emailschild: *Atariastraße* und Iwan an der Haustür. Iwan lacht, Iwan streckt die Arme aus, Iwan ruft: »Schatz ist wieder da, ist wieder da!« Iwan hebt mich hoch, wirft mich in die Luft, fängt mich wieder auf, wiegt mich hin und her wie ein Baby.

Ich strampelte. Iwan ließ mich los, stellte mich auf die Bank vor der Kommandantur. Ich erzählte ihm, was unten bei der anderen Polizeisperre geschehen war, wie der Gutmütige in die Luft geschaut hatte und der Betrunkene trotzdem aufgewacht war.

»Und was dann?« Iwan rieb seine große Nase zwischen Daumen und Zeigefinger. Andere Soldaten waren aus der Kommandantur gekommen, schauten neugierig. »Und was dann?«

Ich sagte: »Dann bin ich gerannt, ganz schnell gerannt!«

Iwan fand das ungeheuer lustig. Die anderen fanden es auch ungeheuer lustig. Sie lachten laut. Iwan fragte mich noch dreimal: »Und was dann?«, und ich mußte noch dreimal sagen: »Dann bin ich gerannt, ganz schnell gerannt!« Und jedesmal lachten die Soldaten und Iwan.

Von oben, vom Engel-Haus her, kam Lärm. Da sangen viele Russen. Aus den anderen Häusern sangen auch Russen. Überall sangen Russen. Vor lauter Aufregung hatte ich das vorher nicht bemerkt. Sogar der Feldwebel, der ordengeschmückte Feldwebel, der wegen der Lusthausküchenschießerei noch immer im Arrest saß, sang zum Arrestfenster hinaus. Er sang unentwegt etwas, das klang wie: »Wetscherni swon, wetscherni swon...«

Meine Soldaten lachten weiter.

Ich bekam eine verzweifelte Wut. »Ihr seid alle besoffen!« rief ich.

Sie lachten und nickten zustimmend.

»Ihr seid alle Arschlöcher!« schrie ich.

Sie lachten und nickten wieder zustimmend.

Iwan hob mich noch einmal hoch.

»Nix schimpf, Schatz«, murmelte er, »nix schimpf.« Er hielt mich mit einer Hand an die Brust gedrückt, mit der anderen Hand zeigte er auf das Engel-Haus, auf die Kommandantur, auf das Leinfellner-Haus, zeigte auf alle Häuser, wo Russen wohnten. »Nix schimpf, alle großes Feier, Feier für Abschiednehmen, alle müssen weg, viel weg, weit weg, viel Abschied!«

Iwan schwankte. Ich schwankte in seinem Arm mit. Nun begann Iwan auch noch zu singen. Verdammt noch einmal. Sang drauflos, als wäre alles in Ordnung, als hätte ich keinen

Vater, der bei einem betrunkenen russischen Polizisten an der Sperre war.

Ich drosch Iwan mit der Faust auf den Kopf, so fest ich konnte.

Ihn schien das nicht zu stören, er sang weiter, und die anderen Soldaten sangen mit.

»Hilf doch dem Vati!« brüllte ich ihm ins Ohr. Das hätte sogar die Großmutter verstanden. Iwan sang.

Ich drosch weiter, immer mit der Faust auf Iwans Kopf. Ich schrie auch weiter. Ich schrie: »Iwan, verdammt noch einmal, hilf ihm doch!« Endlich drang mein Geschrei durch Iwans Schnapsohren in Iwans Schnapshirn.

Er hörte zu singen auf. »Wem helfen?« fragte er.

«Meinem Vati!«

»Wem?«

»Dem Vati!«

Iwan stand still. Ich rutschte aus seinen Armen, von seiner Brust über den Bauch zu Boden. Iwan schaute mich verständnislos an. Was hatte er denn, verflucht noch einmal, warum fragte er denn so blöd, warum tat er denn nichts?

»Was ist V-a-t-i?« fragte Iwan.

Herr im Himmel! Was ist Vati! Ich brüllte: »Vati, Papa, Vati ist Papa! Du sollst Papa helfen!«

Iwans Gesicht strahlte vor Freude. Er kapierte. »Papa helfen«, er lachte, »da-da, Papa helfen!« Er wollte dem Papa helfen. Die anderen Soldaten auch. Alle wollten sie Papa helfen. Niemand wollte hierbleiben. Niemand wollte die Kommandantur bewachen. Da entdeckten sie einen jungen Soldaten, einen, der nicht viel Schnaps vertragen konnte. Er lehnte an der Hausmauer vom Nachbarhaus, schlief im Stehen, schnarchte mit hängendem Kopf und baumelnden Armen.

Die Mütze lag vor ihm auf dem Boden.

Sie weckten ihn auf, redeten auf ihn ein, beutelten ihn und ernannten ihn zum Kommandanturbewacher. Der neue Kommandanturbewacher stolperte, schaute grüngrau verschlafen hoch, zog den Kopf tief zwischen die Schultern, blinzelte in die Sonne, zog den Kopf noch tiefer zwischen die Schultern und ging in die Wachstube.

Iwan brüllte hinter ihm her.

Der neue Kommandanturbewacher kehrte um und holte sein Gewehr, das an der Hausmauer lehnte.

Unter denen, die Papa helfen wollten, war einer, der hatte den Schlüssel zum Streifenwagen. Zuerst sagte er »njet«, dann gab er ihn doch her. Der Streifenwagen war ein offener Wagen, so wie ein Jeep. Ich glaube, es war sogar ein echter, amerikanischer Jeep, mit einem Russenstern auf der Kühlerhaube natürlich. Iwan setzte sich hinter das Lenkrad. Die anderen Soldaten kletterten in den Wagen. Ich saß eingeklemmt zwischen ihnen. Es waren mindestens, außer Iwan, acht Soldaten.

Wir fuhren die Neuwaldegger Straße hinunter. Einmal waren wir auf der rechten Straßenseite, einmal waren wir auf der linken. Doch das machte nichts aus. Außer uns war ja niemand auf der Straße. Einmal streiften wir um ein Haar links eine Mauer und dann rechts einen Baumstamm.

Den Soldaten gefiel das. Unten, bei der Kurve vor der Endstation, machte Iwan irgend etwas falsch. Der Wagen wurde langsamer, blieb stehen, machte einen Ruck, blieb wieder stehen, machte noch einen Ruck und stand dann ganz still.

Iwan startete wieder und wieder, vielleicht zehnmal, und murmelte dabei: »Scheiße, sehr große Scheiße!«

Da das ganze Fluchen nichts half, kletterten wir aus dem Auto, ließen es einfach mitten auf der Straße stehen und gingen zu Fuß weiter. Voran Iwan und ich, dahinter die anderen Soldaten. Sie riefen alle im Chor: »Papa helfen, Papa helfen!«

In der Wachstube stand der Gutmütige vor der Tür und rauchte eine Zigarette. Der Betrunkene saß am Tisch und fuchtelte mit den Armen, und daneben standen die zwei Wachablösesoldaten und waren ganz gewiß nicht betrunken. Der eine hielt ein Papier in der Hand, und der andere hielt meinen Vater am Arm gepackt. Mein Vater redete russisch-deutsch-russisch, redete vom Major, zeigte mit dem Arm, den er frei hatte, immer wieder auf das Papier und sagte mindestens zehnmal in einem Atemzug: »Major.«

Die Papahelfer, Iwan wieder voran, traten in die Wachstube.

Ich blieb draußen stehen und schaute zum Fenster hinein.

Iwan stand zwischen den Wachablösesoldaten und meinem Vater. Mein Vater hatte jetzt beide Arme frei; denn der Wachablösesoldat hielt jetzt Iwans Arm fest, zeigte auf das Papier und erklärte Iwan, daß das Papier vom Major einen Dreck wert sei, weil das den Major einen Dreck anginge und die Bestimmungen ganz andere seien.

Iwan schaute interessiert auf das Papier, studierte das Papier. Die Soldaten drängten nach. Jeder wollte das Papier sehen. Jeder griff nach dem Papier. Der Wachablösesoldat weigerte sich, das Papier aus der Hand zu geben. Iwan forderte das Papier. Iwan war zwar nicht zuständig bei der Angelegenheit, aber irgendwie war Iwan beim Militär ein höherer Soldat als der Wachablösesoldat. Darum ließ sich der Wachablösesoldat das Papier dann doch von Iwan aus der Hand ziehen. Iwan verknüllte das Papier und steckte die kleine Papierkugel in die Hosentasche und erklärte dabei, daß das Papier wirklich überhaupt nichts wert sei und er es deshalb gar nicht mehr sehen wolle. Der Betrunkene protestierte, der Wachablösesoldat protestierte, und der andere Wachablösesoldat schimpfte auch. Die Papahelfer umdrängten das Ganze, fragten dumm, was denn da überhaupt los sei, und drängten dabei meinen Vater immer mehr von den Wachablösesoldaten weg, drängten so lange, bis mein Vater aus dem ganzen Russenwirrwarr draußen war, drängten ihn zur Tür, deuteten ihm, er solle davonrennen. Doch in der Tür stand der Gutmütige mit einem Gewehr.

Mein Vater schaute den Gutmütigen an, zögerte, wagte sich nicht am Gutmütigen vorbei. Die hinterste Reihe der Papahelfer wurde ungeduldig, machte meinem Vater Zeichen, deutete mit dem Kopf zur Tür hin. Der Gutmütige starrte auf die Zimmerdecke, auf die Lampe aus hellblauem Glas mit den rosa Lilien. Mein Vater rannte aus dem Militärpolizeiwirtshaus.

Ich sprang vom Fensterbrett und rannte hinterher und wunderte mich, wie schnell ein Mensch mit kaputtgeschossenen, eitrigen Beinen rennen kann, wenn er muß.

Ungefähr bei Nummer dreißig, hinter der Straßenbiegung, hörten wir zu laufen auf. Weil das Militärwirtshaus nicht mehr zu sehen war und weil mein Vater erklärte, nun sei es unauffälliger, langsam zu gehen. Wir gingen langsam, mein Vater keuchte, humpelte, schwitzte. Es war schon Mittag. Die Sonne brannte. Niemand war auf der Straße.

Mein Vater wischte sich den Schweiß von der Stirn. »Das ist ja noch gutgegangen«, sagte er, »der verdammte Trottel wollte mich abholen lassen, von der Kommandantur in der Stadt!«

Ich fragte: »Was hätten die mit dir gemacht?«

»Wenn sie freundlich gewesen wären, hätten sie mich morgen nach Hause geschickt. Wenn sie unfreundlich gewesen wären, hätten sie mich nach Sibirien geschickt!« Mein Vater lachte. »Also jetzt, jetzt glaub ich ja ganz sicher, daß sie freundlich gewesen wären, aber zuerst, da drinnen«, er zeigte nach hinten, »da war ich mir nicht so sicher!«

Der neue Kommandanturbewacher hatte anscheinend keinen Spaß an seiner Ernennung. Als wir bei der Atariastraße vorbeikamen, lehnte er wieder an der Hauswand in der Sonne und schlief. Wir störten ihn nicht.

Im Engel-Haus sang niemand mehr. Und von oben, vom Leinfellner-Haus, hörte man nur noch eine Stimme. Auch in den anderen Häusern war es ruhig.

»Die sind müde«, sagte mein Vater.

»Es ist doch erst Mittag«, sagte ich.

»Sie feiern schon lange. Gestern nachmittag haben sie angefangen.«

Ich fragte, ob die Russen wirklich weggehen. Mein Vater erklärte mir, daß nur unsere Russen weggingen und andere dafür kämen. Das sei immer so. Zuerst kämen die Kampftruppen, dann der Troß. Und was war der Troß? Keine Kampftruppen. Und warum war der Troß schlechter?

»Der Troß ist nicht schlechter«, sagte mein Vater, »aber die Kampftruppen sind besser. Die Kampftruppen sind wichtiger.

Darum bekommen sie mehr zu essen und mehr zu trinken und haben mehr Geld und dürfen mehr! Verstehst du?«

Das verstand ich.

»Und wenn einer«, fuhr mein Vater fort, »mehr hat und mehr darf, dann ist er auch freundlicher zu den anderen Leuten!«

Das verstand ich auch.

»Die Kampftruppen haben uns Sachen zum Essen gegeben, weil sie genug hatten. Der Troß wird aber gar nicht genug haben, der wird Essen von uns wollen!«

»Wieso weißt du den Unterschied so genau?« fragte ich.

»Na, ich war doch lange genug in Rußland!«

»Hast du dort so viele russische Soldaten kennengelernt?«

»Russische nicht.« Mein Vater lachte. Es klang nicht freundlich. »Aber deutsche!« Dann fügte er hinzu: »Und da ist kein Unterschied, gar keiner.«

Vielleicht hatte er recht. Wahrscheinlich hatte er recht. Wir waren beim Lanzenzaun und gingen durchs Gartentor. Ich fragte: »So einen wie den Feldwebel gibt es auch?«

Mein Vater verstand nicht, was ich meinte.

Ich sagte: »Der Brenner, der Brenner zum Beispiel, der ist doch ein Mordsnazi, aber der bedroht doch nicht zehn Leute mit der MP, weil er besoffen ist.«

»Der Scheiß-Feldwebel«, sagte mein Vater, »wenn der in Wladiwostok oder in sonst einem Nest sitzt und Buchhalter dort ist, dann bedroht er auch niemanden.«

»Du meinst, der Brenner...«

Mein Vater unterbrach mich. »Ich mein überhaupt nicht: der Brenner! Ich meine alle. Ach was, ich meine gar nichts, und außerdem kannst du das nicht verstehen, weil du es nicht erlebt hast.«

Blödsinn! Ich erlebte doch gerade die Russen.

»Die Deutschen, die Deutschen in Rußland meine ich!« Mein Vater machte die Haustür auf. »Ist nur ein Glück«, sagte er, »daß die russischen Soldaten so wenig Urlaub haben und so wenig Briefe bekommen. Wenn da manche wüßten, wie es bei ihnen zu Hause ausschaut, wie es da zugegangen ist...«

»Was wär dann?«

»Sei froh, daß es nicht so ist!«

Meine Mutter kam aus der Küche, sagte Gott sei Dank! und fragte meinen Vater, ob's schwierig war. Mich schaute sie nicht an.

»Na«, rief mein Vater, »da hast du deinen Liebling wieder!«

Meine Mutter schaute mich böse an.

»Geh, geh«, sagte mein Vater lachend, »nicht schon wieder Erziehungsgrundsätze. Sei froh, daß wir da sind, und gib Ruh!«

Meine Mutter seufzte, fragte mich: »Hast du Hunger?« Ja, ich hatte Hunger, gewaltigen Hunger. Ich ging mit ihr in die Küche. Sie hatte frisches Russenbrot und Dosenbutter und Marillenmarmelade. Und Tee hatte sie auch.

Meine Mutter setzte sich neben mich. Ich merkte, wie sie mit sich kämpfte. Sie wollte böse auf mich sein, weil Mütter böse sein sollen, wenn Kinder davonlaufen. Aber ich war die einzige hier, die ihr etwas über den Großvater und die Großmutter erzählen konnte, die wußte, wie es den beiden ging. Wenn sie mich ausschimpfte, mir eine Predigt hielt, dann erfuhr sie nichts.

Ich fragte, gehörig leise, gehörig demütig, so wie es sich für ein zerknirschtes Kind gehört: »Soll ich dir was vom Großvater erzählen und von der Großmutter?«

Meine Mutter beendete den Erziehungskampf in ihrer Seele und sagte: »Ja, bitte, erzähl schon!«

Ich erzählte viel, erzählte lang, und wenn ich nicht immer bei der Wahrheit geblieben bin, so nur deshalb, damit es meine Mutter lustig und freundlich fand.

30.

Die Kleiderkartons
Die Lusthausküche – immer wieder
Der Bohnentopf • Die Botschaft
Die Schnapsgesichter
Die häßlichen Sachen

»Wann müßt ihr weg?« fragte ich Ludmilla.

»Wann fährst du fort?« fragte ich den Uniformputzer.

»Wie lange bleibst du noch?« fragte ich Iwan.

Sie wußten es nicht.

Irgendwann. Morgen früh oder heute abend oder übermorgen.

Oder erst nächste Woche vielleicht.

Ich fragte die Frau von Braun. Die mußte mehr wissen. Die war doch so oft mit dem Major zusammen. Die Braun bekam jedesmal, wenn sie vom Abzug unserer Russen sprach, Tränen-Glitzer-Augen.

Gerald murmelte dann: »Ziege!« und ging aus dem Zimmer.

Drei Tage vergingen. Nichts geschah. Ludmillas Wäsche-Kleider-Kartons standen verschnürt im Vorhaus und warteten auf Abtransport. Iwan trank mit meinem Vater siebenmal am Tag den allerallerletzten Bruderschnaps. Der Budem-chleb-Soldat kam noch einmal Zarenkuchen backen und brachte diesmal sogar getrocknete Zwetschken. Der Major hockte in der Küche und sang. Es klang wie »cerniodschikrasniodschi«, und er schnitzte mit dem besten Messer meines Vaters eine kleine Holzpuppe. Die Holzpuppe brauchte Haare. Der Major wollte ganz besondere Haare für die Puppe. Wir verstanden nicht, welche Haare er meinte. Wir verstanden nur, daß wir solche Haare ganz sicher im Haus haben mußten. Der Major suchte. Endlich fand er die Haare. Hinter der eisernen Tür an den Hauptrohren der Wasserleitung. – Hanf hatte er gewollt, und den zupfte er nun von den Leitungsrohren. Die Leitungsrohre waren mit Hanf abgedichtet.

Die Frau von Braun war ganz gerührt darüber. Meine Mutter nicht. Sie hatte Angst, daß die Rohre nun tropfen würden. Ich hatte eine Wut, weil der Major die Puppe für Hildegard schnitzte. Als Andenken. »Kannst sie haben, wenn er weg ist«, sagte die Hildegard.

»Ich will sie gar nicht«, erklärte ich. Ich wollte die Puppe wirklich nicht.

Die Puppe war nicht besonders herrlich. Es störte mich nur, daß sich der Major nicht für mich plagte.

Der alte Wawra war krank. Er lag im Gartenhaus und schnaufte und röchelte und hustete. Meine Mutter brachte ihm zu Mittag Suppe, und die Braun brachte ihm am Abend Nudeln. Meistens aß der Wawra die Nudeln und die Suppe nicht.

Der Erzengel kam sich erkundigen, wo man nun eigentlich Leute begrabe, ob das schon wieder funktioniere mit der Leichenbestattung und so.

»Sterben funktioniert immer«, erklärte meine Mutter.

Der Erzengel lief übrigens noch als Großmutter herum. Angeblich trank er zuviel Rotwein. Der Engel war verdreckt, viel verdreckter als wir. Und eigentlich war er jetzt ziemlich freundlich. Doch wir waren Feinde. Daran läßt sich nichts ändern, egal wie freundlich der Engel war.

Gerald erzählte mir von seinem neuen Plan. Er wollte im Wald aus Laub und Ästen eine Hütte bauen. Ich versprach, ihm zu helfen. Ich half ihm aber nicht. Ich saß meistens in der Lusthausküche. Ich wartete nicht, daß Cohn zurückkam. Ich dachte nicht einmal viel an ihn. Ich saß nur gern da herum – auf Cohns Bett, in Cohns Decke gewickelt, schaute durch das offene Fenster, sah Gerald herumhüpfen, sah Ludmilla Strümpfe waschen, sah meine Schwester mit Hildegard flüstern, hörte den Erzengel keifen, hörte den Major lachen, hörte Iwan schreien. Manchmal hörte ich auch meine Mutter nach mir rufen. Wenn jemand zu mir in die Lusthausküche kam, wurde ich böse. Ich beschloß, in die Lusthausküche zu ziehen. Meine Mutter war dagegen. Erstens überhaupt, und zweitens erklärte sie: »Das zahlt sich nicht mehr aus. Wir bleiben nicht mehr lange da!«

Ich schrie herum, daß ich sehr wohl ganz allein wohnen könnte und daß ich mir in Cohns Kochtopf viel bessere Sachen kochen würde, als ich bei meiner Mutter fressen müßte. Und in Cohns Bett würde ich auch viel besser schlafen, weil ich dort das Zähneknirschen und Schnarchen meiner Schwester nicht hören müßte. So mitten in meiner Schreierei wurde mir auf einmal klar, was meine Mutter gesagt hatte. Das zahlt sich nicht aus, hatte sie gesagt, weil wir nicht mehr lange hierbleiben. Was sollte das heißen? So ein Blödsinn! So ein lausiger Blödsinn! »Ich bleibe immer hier!« sagte ich.

»Kaufst du der alten Braun die Villa ab?« fragte meine Mutter.

»Nein«, rief ich, »ich kauf gar nichts, weil ich kein Geld hab. Aber die kann uns doch nicht da hinauswerfen, die ist doch gar nicht mehr hier. Das gehört doch jetzt uns, und dem Gerald und der Hildegard und der jungen Braun natürlich auch!«

»Schön wär's!« sagte meine Mutter.

»Die alte Braun kommt wieder«, sagte mein Vater.

»Und wenn sie tot ist?« fragte meine Schwester.

»Dann erbt irgendwer die Villa.« Mein Vater grinste. »Aber das sind garantiert nicht wir!«

»Wenn der Major und Iwan am Haustor stehen und ›njet‹ sagen, dann dürfen die Leute, die das Haus geerbt haben, nicht herein!«

»Du bist blöd, so saublöd«, kicherte meine Schwester.

Ich ging zur Frau von Braun. Sie war in der Küche, hatte einen großen Topf mit Wasser. Unten im Topf waren braune Bohnen, oben schwammen runzlige Bohnen. Die Braun erklärte mir, die runzligen Bohnen seien die schlechten, und die schlechten würden von Tag zu Tag mehr. Vor einem Monat waren da oben im Wasser höchstens drei Bohnen geschwommen, und jetzt waren es schon zehn, und im nächsten Monat würden es sicher zwanzig sein.

Ich zeigte Interesse an den Bohnen, fischte eine runzlige aus dem Topf, quetschte die Haut herunter, zog den Keim ab und zerbröselte den Rest.

»Lebt die alte Braun noch?« fragte ich und bröselte.

»Sicher«, meinte die junge Braun, »so eine wird über hundert, so eine ist zäh!«

Also keine Erben! »Wird die Alte wieder hierherkommen und da wohnen?«

Die junge Braun zuckte mit den Schultern.

»Meine Mutter hat gesagt, wir werden bald ausziehen!« Ich wartete, wartete auf Entrüstung, auf: »Aber nein, das geht nicht«, auf: »Ihr müßt hierbleiben«, auf: »Kommt nicht in Frage!«

Die Braun nickte. »Ja, ich weiß.«

»Ich mag nicht«, murmelte ich.

»Was magst nicht?«

»Ausziehen!«

»Ist ja noch nicht morgen«, tröstete die Braun, »kann noch lange dauern.« Sie schaute mich an, schaute dann in den Bohnentopf, glotzte in den Bohnentopf, als wäre da drin was ganz Ungewöhnliches zu entdecken.

Sie entdeckte aber das Ungewöhnliche nicht, schaute mich wieder an, sagte: »Morgen ziehen sie ab, in der Früh. Grad hab ich's erfahren.«

»Blöd«, erklärte ich und: »Vielleicht verschieben sie's wieder.«

»Diesmal nicht, diesmal sicher nicht«, sagte die Braun in den Bohnentopf hinein.

»Vielleicht kommt er Sie dann besuchen.«

Die Braun zuckte zusammen, starrte mich an. »Wer soll mich besuchen kommen?«

Blöde Gans! Wer denn schon? Was starrte sie denn so dumm?

»Wer?« Ihre Stimme war schrill.

Ich hätte sagen können: Der Major natürlich! Ich sagte: »Ach, niemand!« und ging aus der Küche, ging zu Iwan.

»Morgen bist du nicht mehr da«, sagte ich zu Iwan.

Iwan nickte.

»Wo kommst hin?« fragte ich Ludmilla.

»Deitschland, Scheiß-Deitschland«, sagte Ludmilla.

Ich erkundigte mich, ob sie heute abend wieder Abschied feiern würden. Nein, sie hatten ja schon gefeiert. Zweimal feiern wurde nicht erlaubt. Außerdem müßten sie morgen schon um vier Uhr in der Früh weg.

»Nix kann aufstehen mit Brummschädel«, lachte Iwan.

Ich fragte Iwan, ob er in Deutschland dann wieder mit Cohn zusammensein werde. Iwan glaubte schon, daß Cohn in Deutschland wieder bei ihnen sein werde.

»Laß ihn grüßen von mir.«

»Was sagst?« fragte Iwan. Der Satz war ihm zu schwierig, so etwas verstand er nicht.

»Sag dem Cohn, sag dem Cohn...«

»Was sollen sagen Cohn?«

Ja, was sollen sagen Cohn? »Nichts!« rief ich.

Iwan schaute ratlos, fragte noch einmal: »Ich sollen Cohn sagen, sagen nichts?«

Ich nickte. Ludmilla grinste.

Iwan feierte dann doch noch einmal Abschied. Ich lag schon im Bett, als er mit einer Schnapsflasche und einer Weinflasche zu uns ins Zimmer kam. Meine Mutter und meine Schwester waren auch im Bett. Mein Vater saß beim Werktisch und reparierte Uhren. Er sollte bis zum Russenabmarsch noch vier Stück reparieren.

Iwan kam auf Zehenspitzen ins Zimmer. Aber das konnte er nicht gut. Iwan flüsterte – und auch das konnte er nicht gut – quer durchs Zimmer: »Kamerad, Kamerad, letztes Schnaps trinken miteinander.«

»Ich muß noch arbeiten, Iwan«, sagte mein Vater.

»Scheiß auf Arbeit, viel zuviel Arbeit, viel Arbeit nix gut, komm, Kamerad!«

Mein Vater stand auf, deckte das Geschirrtuch über den Werktisch und ging mit Iwan aus dem Zimmer. Sie gingen auf einen letzten Schnaps in Ludmillas Zimmer. Eine Zeitlang lag ich noch wach und hörte ihre Stimmen. Dann schlief ich ein.

Mitten in der Nacht wurde ich munter. Ich hörte noch immer die Stimmen von Iwan und meinem Vater. Diesmal nicht aus Ludmillas Zimmer, sondern aus dem Onkel-Zimmer. Ich stieg aus dem Bett, schlich zur Zimmertür, warf dabei irgend etwas Leichtes um, es krachte, schepperte, meine Mutter fuhr im Bett hoch.

Ich stand still. Sah sie mich? Sie sah mich nicht. Sie legte sich wieder hin. Das Bett knarrte. »Versoffene Bagage«, murmelte meine Mutter. Sie dachte, die Stimmen aus dem Onkel-Zimmer hätten sie aufgeweckt. Ich wartete, bis das Bett zu quietschen aufhörte, bis der Atem meiner Mutter gleichmäßig schnaubte, dann schlich ich quer durch den Salon zur Tür vom Onkel-Zimmer.

Die Tür stand einen Spalt weit offen. Iwan und mein Vater hockten auf dem Boden. Neben ihnen stand eine Petroleumlampe, und die Schnapsflasche stand auch da.

Die Schnapsflasche war fast leer.

Iwan und mein Vater hatten sehr betrunkene Gesichter. Sehr betrunkene Gesichter haben zu viele Falten, die Augen sind zu klein, der Mund zu offen. An sehr betrunkenen Gesichtern ist alles in Unordnung, nichts stimmt. Zu langsam, viel zu langsam sind betrunkene Gesichter.

Ich ging von der Tür weg, mußte husten, hustete laut. Wußte, daß sehr betrunkene Ohren lange brauchen, bis mein Husten bei ihnen war.

Warum ich dann auf den Dachboden hinaufstieg, weiß ich nicht. Ich machte das Dachfenster auf, schaute hinaus, sah unten bei der Atariastraße Licht. Viel mehr Licht als sonst in der Nacht. Drei riesige Lastwagen standen dort mit aufgeblendeten Scheinwerfern und beleuchteten den Platz vor der Kommandantur. Auf dem Platz standen Panjewagen, und die Pferde waren schon vor die Wagen gespannt. Soldaten beluden die Panjewagen. Ich entdeckte, daß überall auf der Straße Panjewagen standen. Vor unserem Zaun, vor dem Engelgitter, vor der Wawra-Villa, vor dem Leinfellner-Haus.

Ich machte das Dachfenster zu, kletterte vom Dachboden herunter und schlich in mein Bett. Aus dem Onkel-Zimmer kam ein Lichtschimmer. Ich mußte ziemlich lange auf dem Dachboden gestanden haben, denn draußen wurde es schon dämmrig.

Ich hatte um vier Uhr aufstehen wollen, hatte sehen wollen, wie unsere Russen wegfuhren. Es war Mittag, als ich erwachte. Mein Vater saß im Bett und hielt sich den Kopf. Ich brachte ihm einen Krug Wasser. Das brauchte er nach den letzten, allerletzten Schnäpsen.

Ich ging durchs Haus, fand einen Socken von Iwan, einen

mit Loch und schwarzer, schmutzharter Sohle. Ich fand einen Zettel mit fremden Buchstaben und eine Hanfschnur mit einem Knopf. Vom Fensterkreuz baumelte ein Büstenhalter aus rosa Spitze. Das Gummi hinten war zerdehnt, die Schließe rostig. Büstenhalter ohne Ludmilla, Brief ohne Uniformputzer, Socken ohne Iwan.

Überall lagen Sachen herum, im Garten ein Lederriemen, eine Menageschale, beim Zaun ein Unterhemd, auf der Straße eine Flasche, beim Engel-Zaun eine Blechtonne.

Sachen ohne Leute dazu sind häßlich.

Ich ging aus dem Garten, gab der Flasche einen Tritt, die Flasche rollte die Straße hinunter, ich lief hinterher. An der Kreuzung fehlte die Straßensperre. Die Tür vom Kommandanturhaus war offen. Ein alter Mann und eine junge Frau räumten Sachen, Russensachen, aus dem Haus. Einen Sessel mit zwei Beinen und Flaschen und Papier und Wäschefetzen und ganz gewöhnlichen Mist.

»Kommt die nächste Kommandantur wieder zu Ihnen?« fragte ich.

»Nein«, sagte der alte Mann, »da kommt keine mehr her!« So viele Russen und so viele Kommandanturen werde es überhaupt nicht mehr geben, sagte er. Und die Straßensperren, die hörten auch auf. Die Verwaltung werde ab jetzt wieder österreichisch, und die Österreicher würden sich doch nicht gegenseitig die Straßen versperren. Die junge Frau und der alte Mann luden den Mist auf einen Handwagen, zogen ihn nach hinten in den Garten, um den Kram zu verbrennen.

Drei Tage später kam der Troß. Der Troß zog in die leerstehenden Villen ein. In Häuser, wo jemand wohnte, zogen die Soldaten nicht ein. Ihre Uniformen waren mehr gelb und weniger grau, ihre roten Sterne glänzten, und gesungen haben sie kein einziges Mal.

Ich wartete, daß einer von ihnen zu uns käme und uns Bohnen und Nudeln und den letzten Hirschbraten wegnähme. Sie kamen nicht.

Mein Vater ging oft in die Stadt hinein. Wenn er zurückkam, redete er von leeren Wohnungen, von zwei Zimmern und drei Zimmern, von Genehmigungen, von Bewilligungen und Beschlagnahmungen. An einem Tag kam er und brachte eine dicke Frau mit. Die dicke Frau hatte ein Pferd mit einem Wagen. Sie fuhr in den Garten. Sie half meiner Mutter, Schachteln und Bündel und Decken und Polster auf den Wagen zu laden. Mir fiel ein, daß wir mit einer Handtasche voll Sachen hergekommen waren.

Ich setzte mich hinten auf den Wagen, zwischen die Decken und die Ölkanister, und lehnte mich an einen blauen Nudelsack. Die Nudeln knirschten.

Meine Mutter saß neben der dicken Frau auf dem Kutschbock. »Na«, rief sie, «los geht's! Schau dir noch einmal alles gut an!«

Ich schloß die Augen.

Christine Nöstlinger
Zwei Wochen im Mai
Mein Vater, der Rudi, der Hansi und ich
Roman
208 Seiten, Gulliver Taschenbuch (78032)

Mit zwölf Jahren lernt Christine den Frieden kennen. Den hat sie sich
allerdings ganz anders erträumt: mit Schinkensemmeln, schönen
Kleidern und Dauerwellen im Haar. Doch so was können sich nur die
leisten, die Schwarzhandel treiben oder »Beziehungen« haben. Für ein
Schnitzel erträgt man zum Beispiel eine saublöde Freundin. Und was
ist mit dem Waschak-Rudi? Hat er die alte Russ umgebracht?
Christine hat Angst vor ihm. Und sie lernt den Hansi lieben. Doch der
einzige Mensch, dem sie wirklich vertraut, der Vater, zerstört ihr diese
Liebe. Das kann sie nicht vergessen.

»Den Krieg hatte ich gut gekannt, im Krieg hatte ich mich ausgekannt.
Den Frieden mußte ich erst lernen, und ich war keine gute Schülerin
im Frieden-Lernen.« *Christine Nöstlinger*

Beltz & Gelberg
Beltz Verlag, Postfach 1001 54, 69441 Weinheim